Met mijn ogen dicht

Ook van Maren Stoffels

Dreadlocks & Lippenstift
Bekroond door de Jonge Jury
Debuutprijs Jonge Jury
Hotze de Roosprijs
Piercings & Parels
BookAward ECI/St. Lezen
Cocktails & Ketchup

Sproetenliefde
Bekroond door de Jonge Jury
Op blote voeten
Nominatie Jonge Jury

Vlucht van Elin
Tara vecht terug
Gezicht van Britt

Je bent van mij!
met Hans Kuyper

stoffelsmaren.hyves.nl
www.marenstoffels.nl

Maren Stoffels

Met mijn ogen dicht

Leopold / Amsterdam

Voor mijn neefje Don, die alleen nog een paar jaartjes moet wachten voordat hij het kan lezen.

Met dank aan Sibel en Morena.

Eerste druk 2010

Omslagfoto: Mark Sassen
Vormgeving: Petra Gerritsen
Auteursfoto: Mark Sassen
Uitgeverij Leopold, Amsterdam / www.leopold.nl
ISBN 978 90 258 5727 1 / NUR 284

Uitgeverij Leopold drukt haar boeken op papier met het FSC-keurmerk. Zo helpen we waardevolle oerbossen te behouden.

Een

'Mag ik met Donna?'

Met verbijstering keek ik naar Jen, die een goedkeurend knikje van de gymleraar kreeg. Waarom wilde uitgerekend zij met mij de engste opdracht ooit doen?

Om me heen lieten mijn klasgenoten zich met hun ogen dicht als een plank achterover vallen. Hun gegil galmde door de gymzaal. Iedereen kon zijn partner vertrouwen. Behalve ik.

Jen keek me uitdagend aan. 'Jij mag eerst.'

Voor de zoveelste keer zag ik voor me hoe ik met mijn hoofd op de gymvloer zou belanden. Ik voelde de harde bonk al in mijn achterhoofd.

Nee zeggen was geen optie, als ik dat al had gedurfd. Niet meedoen zou een lafaard van me maken. Het hele jaar zou deze gymles om me heen hangen, als een stel gonzende vliegen. Weer een jaar zonder vrienden.

'Toe dan?' zei Jen.

Ik liet me vallen. Maar midden in mijn val zette ik de tijd stil, zoals je doet bij een film als je chips wilt halen. Ik keek Jen strak aan. 'Als je me niet opvangt, vermoord ik je.'

Tussen de bladeren van de boom door zie ik ze aankomen. Drie kleine stippen, die langzaam groter worden. Drie? De tweede moet Sara zijn, maar wie loopt er nog meer bij?

Zoals elke morgen schrik ik van de stem van Jen, die schel door het bos klinkt. Als ze toch eens wist dat ik elke schooldag hoor wat zij en Sara onderweg bespreken… dan zou ik hier niet veilig zitten.

Ik schuif wat naar voren, tot de tak door begint te veren. Wie is de derde toch? Dan zie ik het aan de manier waarop hij loopt. Stijn! Van schrik verlies ik mijn evenwicht en val voorover. Net op tijd grijp ik me vast.

Terwijl ik terugschuif naar mijn vertrouwde plek, blijf ik naar hen kijken. Mijn beste vriend van vroeger en mijn ergste vijand van vroeger en altijd.

'Kun je vanmiddag?' hoor ik Stijn vragen. Ze zijn dichtbij. Als hij nu naar boven kijkt, ziet hij mij zitten. Zou hij me verraden?

Maar Stijn kijkt met grote glanzende ogen naar Jen en ik vraag me af wat er met hem aan de hand is. Nooit moest hij iets van haar hebben. En nu...

Jen blijft even staan. 'Gaan we iets spannends doen?'

'Dat zien we straks wel,' zegt hij. Sinds wanneer grijnst hij zo raar?

Het is alsof ik naar een film kijk waarvan ik een deel gemist heb. Ik ken het begin van die film: hoe Stijn en ik als peuters de allerbeste vriendjes werden, en dat de hele basisschooltijd lang bleven. Hoe we samen hutten bouwden en pannenkoeken bakten in het restaurant van mijn ouders...

'Vindt Donna het wel goed als wij afspreken?'

Ik schrik van mijn naam.

Doe het niet! wil ik tegen Stijn schreeuwen.

Maar ik zeg niks. Natuurlijk niet. Ik doe nooit iets terug. Niet in de gymles, niet op het plein, niet tijdens verschrikkelijke schoolreisjes.

Als ik ooit eens terug had geslagen, was alles misschien anders gelopen. Maar de enige Donna die voor zichzelf opkomt, zit in mijn fantasie. Die Donna zou nu bijvoorbeeld een dikke klodder spuug op Jens blonde haren laten vallen.

Maar zelfs nu, hoog in mijn eigen boom, terwijl niemand me ziet, ben ik bang voor haar.

Jen wandelt verder en Sara en Stijn lopen achter haar

aan. Ik heb Stijns antwoord niet eens gehoord. Zijn rugzak hangt helemaal onder aan zijn kont.

Ik kijk hen lang na. Daar gaat de enige echte vriend die ik ooit heb gehad. Altijd nam hij het voor me op als ze me weer eens liepen te pesten. En nu loopt hij ineens met hen naar school.

Ik blijf zo lang mogelijk zitten, tot ik zeker weet dat ik te laat zal komen. Mijn benen trillen. Ik wil hen niet onder ogen komen. Hoe kan ik nou doen alsof ik dit allemaal niet heb gezien?

Ik slinger mijn rugzak over mijn schouder en kijk langs de takken naar beneden. De diepte doet me nog steeds duizelen. Voorzichtig laat ik me tak voor tak naar beneden zakken. De laatste meter spring ik, maar mijn voet blijft haken en ik klap voorover in de zachte bosaarde. Ik ruik rotte bladeren en vochtig zand. Ook dat nog. Zand en tranen prikken in mijn ogen.

'Wat doe je?' Een onbekende stem.

Ik spring overeind en spuug de aarde uit. Voor me staat een meisje met een groene jas en knaloranje haar. Ongeveer zo oud als ik. Haar zonnebril schittert in het zonlicht.

'Ik viel,' mompel ik, terwijl ik groene smurrie van mijn been probeer te vegen. Ik zie er vast belachelijk uit.

Het meisje lacht. 'Dat dacht ik al. Ben je een bomenklimmer?'

Wie stelt nou zo'n vraag? Ik bekijk het meisje nog eens goed. Ze zit niet op onze school en ik heb haar hier ook nooit eerder gezien, met dat oranje haar van haar.

'Wat doe je in die boom?'

Ik had beter op moeten letten voor ik naar beneden klom. Straks zit de halve buurt in die boom en moet ik een nummertje trekken om erin te mogen.

‘Ik moet gaan.’ Ik klop het vuil van mijn kleren.

Het meisje kijkt bezorgd. ‘Heb je je pijn gedaan?’

Waar bemoeit ze zich mee? Wat kan mij het nou schelen dat ik gevallen ben. De pijn in mijn knie is eigenlijk wel fijn. Zo voel ik de pijn vanbinnen minder.

Ik loop langs het meisje heen het zandpad af. Onderweg naar school spuug ik nog een paar keer om de zandsmaak weg te krijgen.

Ik kijk de klas niet in als ik het lokaal binnenkom, maar ik merk meteen dat ook hier iets veranderd is. Stijn zit meestal achterin, zo ver mogelijk bij de leraar vandaan, maar nu zit hij vooraan. Jen en Sara zitten elk aan een kant van hem.

Ik zoek een lege bank, maar overal zit wel iemand. De enige vrije plek is achter het drietal.

Ik ben nog niet gaan zitten of Jen draait zich al om.

‘Hoe komt het eigenlijk dat we jou nooit zien op weg naar school? Elke morgen ruik ik die pannenkoeken en dan moet ik altijd aan jou denken.’

Dat is typisch een Jen-opmerking waar ik geen antwoord op heb. Je kan er niks van zeggen, maar ik weet dat ze het vals bedoelt.

Stijn gaat naar achteren hangen, over mijn tafel heen. Ik schrik van zijn plotselinge beweging en kijk snel naar beneden.

‘Je kan toch met ons meelopen, we komen langs je huis.’

Ons. We. Ineens is hij een team met Jen. En hij zegt het alsof het niets is. Heeft hij dan niet door hoe dit voor mij moet zijn?

‘Ik loop graag alleen.’

Sara snuift. ‘Ik kan toch niet tegen die pannenkoekenlucht.’

Het is waar dat mijn kleren soms naar pannenkoeken

ruiken. Mijn kamer ligt boven de keuken van het restaurant. De geur dringt vaak onder de kieren van mijn slaapkamerdeur door, maar ik vind het lekker ruiken.

'Het is toch leuk met Stijn?' Jen is ook naar achteren gaan hangen, haar arm raakt die van hem.

Als ik niet antwoord, laat Jen zich zuchtend terugvallen. Haar stoelpoten komen met een knal op de vloer. Ze buigt zich naar Stijn en fluistert iets in zijn oor, net zo dat ik haar kan verstaan.

'Volgens mij is ze je zat.'

Als de bel gaat ben ik als eerste uit het lokaal. Buiten haal ik opgelucht adem. Het plein is nog leeg. Achter het fietsenhok wurm ik me tussen de losse planken door. Door een spleet kan ik de ingang van de school en het halve plein zien. Een van de eerste dagen op deze school ontdekte ik het plekje al. Bijna elke pauze zit ik er. Als eerste ben ik buiten en als laatste kom ik tevoorschijn.

Het duurt niet lang of het schoolplein stroomt vol. Ik zie Sara met veel gebaren een verhaal vertellen, en ik zie hoe Jen niet naar haar luistert. Ze leunt overdreven tegen Stijn aan en lacht. Ineens is hij overal waar zij ook zijn. Zoals hij vroeger altijd bij mij was.

Jen strijkt met haar gelakte nagels door zijn donkere haren. Zelfs op deze afstand herken ik Stijn aan zijn achterhoofd. De plek waar hij een kruin heeft en zijn haar altijd overeind staat. Hij werd er op een dag zo kwaad van dat hij er een halve pot gel in smeerde. Groene klodders vlogen in het rond. 'En?' vroeg hij hoopvol. Ik zag hoe de pluk haar zich door de gel heen worstelde en overeind sprong, als een groene antenne. Ik heb nog nooit zo hard gelachen.

Maar dat was vroeger.

Ook al hebben we de afgelopen twee jaar nauwelijks gepraat, ergens had ik verwacht dat het goed zou komen. Stijn zou naar me toe komen om te zeggen dat hij ook niet zonder míj kan. We zouden over die vreselijke gymles heenkomen. Uiteindelijk kon onze vriendschap alles aan.

Sinds vanochtend weet ik beter. Mijn hoop is in één keer weggevaagd. Toen Stijn met Jen door het bos liep, besefte ik het ineens. Hij is niet meer dezelfde. Hij heeft onze vriendschap opgegeven. En nu papt hij aan met mijn grootste vijand. Hoe duidelijk wil ik het hebben?

Als de schoolbel voor de tweede keer gaat, word ik wakker geschud. Stijn en Jen zijn nergens meer te bekennen. Ik wacht tot het plein helemaal leeg is en wurm me dan voorzichtig tussen de planken door.

'Hé, Donna.' Bij de trappen staat Stijn ineens achter me. Hij ruikt nog wel net als vroeger. Herinneringen schieten door me heen, alsof ik door een fotoboek blader.

'Hey.'

Ik weet niet wat ik tegen hem moet zeggen. Kan ik hem vragen wat hij ineens met Jen moet?

Als we samen de trappen op lopen naar het lokaal moet ik ineens denken aan ons pannenkoekenwedstrijdje. We zaten in groep zeven en Stijn beweerde dat hij er wel tien op kon. Bij de achtste rende hij als een speer naar de wc. Ik glimlach.

'Wat is er?'

'Niks.' Ik kan toch niet zeggen dat ik nog altijd aan vroeger denk? Zeker niet na vanochtend.

'Je kan toch niet lachen om niks?'

'Ik wel.' Aan het einde van de gang zie ik Jen en Sara al bij het lokaal staan. 'Daar zijn je vriendinnetjes.'

Jen zwaait naar hem. Even hoop ik dat Stijn naast me zal blijven lopen, maar dan trekt hij een sprintje.

Je herkent ons pannenkoekenhuis al van verre. Voor elk raam hangen roodgeblokte gordijnen en er staan altijd fietsen voor de deur. Hordes toeristen komen bij ons pannenkoeken eten, maar we hebben ook veel vaste klanten, die elke week hun favoriete pannenkoek bestellen.

Als ik binnenkom, zit mijn moeder klaar met thee. Vanachter de deur naar het restaurant klinkt geroezemoes van mensen en gekletter van borden en bestek.

'Hé, lieverd, ging het goed op school? Je vader werkt een nieuwe keukenhulp in. Hij had geen woonruimte, ik heb hem een kamer boven aangeboden.'

Ik hoor nauwelijks wat mijn moeder zegt. Mijn hoofd is bij Stijn en Jen, die samen het schoolplein af liepen. Wat gaan ze doen? Naar zijn huis?

In al die jaren hebben ze nooit iets samen gedaan. Stijn hield Jen op een afstand. Maar nu wil hij niet langer mijn schild zijn.

'Donna?'

'Ja?'

'Hoor je me wel?' Mijn moeder kijkt me bezorgd aan.

Ik knik snel. Als ik uit moet leggen wat er is, zitten we hier volgend jaar nog. Mijn moeder weet niks van Jen en de pesterijen. Bovendien kan ik niet over mijn lippen krijgen wat er vandaag is gebeurd. Als je iets uitspreekt wordt het ineens echt. Nu kan ik nog doen alsof het een nachtmerrie was.

'Maar wat vind je ervan?' Mijn moeder kijkt me vragend aan.

'Geweldig,' zeg ik enthousiast, al heb ik geen idee waar het over gaat.

Ik moet nadenken. Over Stijn, die naar Jen lachte. Over Jen, die met haar gelakte nagels door zijn haren aaide. Ik verlang naar mijn boom.

Toen mijn ouders het restaurant kochten, heb ik van

die boom mijn geheime schuilplaats gemaakt. Zo geheim dat zelfs Stijn het niet weet. In het begin hield ik elke dag wedstrijdjes met mezelf. Hoe hoog ik durfde. Hoe snel. Met één hand. Maar nooit tot bovenin. Dat durf ik nog steeds niet.

Ik spring, grijp de onderste tak en zet mijn voet op de eerste knoest. Zo trek ik mezelf omhoog. De eerste takken zitten ver van elkaar af, maar ik ben er behendig in geworden en hogerop wordt het makkelijker.

De grote tak is kaal geworden op de plek waar ik vaak zit. Ik heb zelfs iets in de stam gekrast met een roestig zakmes. Twee letters. *D S*. Dat was vlak voor mijn twaalfde verjaardag. Vlak voor alles veranderde.

Ik haal mijn huiswerk uit mijn rugzak. Hier leer ik tien keer beter dan in mijn kamer, die met de dag kleiner lijkt te worden en me het gevoel geeft dat ik stik. Nog zoiets wat ik aan Jen heb te danken. Bovendien zijn de geluiden van het restaurant hier nauwelijks meer te horen.

Dan zie ik in de verte het meisje aankomen.

Haar feloranje haren vallen op in het donkergroene bos. Net als die zonnebril, die ze alweer op heeft. Zelfs nu het bewolkt is.

Blijft ze nou onder de boom staan? Zou ze me gezien hebben? Dat kan haast niet. Wacht ze soms tot ik er weer uit val? Ik blijf doodstil zitten en durf nauwelijks adem te halen.

Gelukkig kijkt ze niet omhoog.

'Donna. Eten!' De stem van mijn moeder galmt door het bos. Ik zie haar bij de voordeur staan. Ze kijkt zoekend om zich heen.

Als ik weer naar beneden kijk, staat het meisje er niet meer.

Ik doe mijn rugzak om en laat me voorzichtig uit de

boom zakken. Dit keer land ik met beide benen veilig op de grond. Mijn gympen zakken weg in de bladeren en de zachte aarde.

Net als ik naar huis wil lopen, hoor ik een heldere stem achter me.

'Zeg, waarom bespioneer jij mij?'

Twee

Ik kijk het meisje boos aan. Ze hoeft niet te merken dat ze me weer verrast heeft.

'Waar heb je het over!'

'Ik hoorde je toch. Je zat weer boven in die boom. Wat doe je daar? Mensen begluren?'

Ik kan niet geloven dat een vreemd iemand me zulke vragen stelt. Mensen begluren, hoe durft ze!

Door de donkere glazen van haar zonnebril kan ik haar ogen niet zien. Irritant is dat.

'Ik begluur niemand. Jij moet zo nodig langskomen. Normaal is het hier doodstil.' Ik kan er niks aan doen dat mijn stem een beetje trilt.

Het meisje haalt haar schouders op. 'Ik ben gewoon op weg naar huis. Ik woon hier vlakbij.'

Ze kijkt me niet eens aan. Haar blik gaat gewoon langs me heen. Ze is arroganter dan Jen en Sara bij elkaar. Toch vraag ik me van alles af. Waar komt ze opeens vandaan? Als ze hier woont, waarom heb ik haar dan nooit eerder gezien? Wat wil ze van mij? En hoe komt het dat ik haar ergens wel interessant vind?

'Ik ga eten,' zeg ik kortaf en ik draai me om. Misschien is het inderdaad spioneren wat ik doe. Mensen vanaf een afstandje bekijken is veel minder eng dan ertussen staan. Voor je het weet word je een prooi. Maar wat gaat haar dat aan?

Het meisje loopt dezelfde richting uit. Voorzichtig, alsof ze twijfelt waar ze haar voeten neer zal zetten.

'Wat loop je vreemd.' Het is eruit voordat ik het weet, maar het meisje geeft geen antwoord. Het lijkt wel alsof ze zich op elke stap concentreert.

Bij ons huis ruik ik spaghettisaus, vermengd met de pannenkoekenlucht. In de kamer zet mijn moeder net de pastapan op tafel.

Het meisje snuift. 'Woon je híér?' Haar stem klinkt verbaasd.

'Wat is daar mis mee?'

Eerst dat begluren en nu keurt ze mijn huis af. Ze is Jen en Sara in het kwadraat.

'Niks. Ik ben dol op pannenkoeken.'

Neemt ze me nou in de maling? Maar het meisje staat een beetje te wiebelen, alsof ze met me mee wil. De avondzon geeft haar haren de kleur van rijpe sinaasappels. Haar gezicht is mooi, ze heeft een kleine neus. In haar oren draagt ze zilveren knopjes. Wat zou de kleur van haar ogen zijn?

'Nou, ik ga.' Ik leg mijn hand op de deurknop.

'Oké. Tot snel.' Het meisje loopt het pad af. Ze tilt haar voeten hoog op, alsof ze bang is om te struikelen. Ik kijk haar na tot ze niet meer is dan een oranje vlek.

Met veel lawaai slurp ik een spaghettisliert naar binnen. Ik lik de rode saus van mijn lippen.

Mijn moeder kijkt me aan. 'Wie was dat meisje net?'

'Geen idee. Ze is nieuw, denk ik.'

'Nodig haar een keer uit.'

'Waarom zou ik?' Ik weet heus wel waarom mijn moeder dat zegt. Ze vindt het vreselijk dat ik geen vrienden heb. Zelfs Stijn blijft weg en ze heeft geen idee waarom. Nodig hem een keer uit, zegt ze dan. En nu moet ik vrienden worden met het vreemde brillenmeisje, dat mijn geheim heeft ontdekt?

'Het lijkt me gewoon leuk voor je, lieverd.' Mijn moeder schept mijn bord voor de tweede keer vol. Van pasta krijg ik nooit genoeg.

Op dat moment gaat de deur van het restaurant open en komt mijn vader binnen. Achter hem verschijnt een jongen van een jaar of achttien. Hij draagt gympen onder een spijkerbroek en een strak, wit shirt. Zijn donkere haar hangt half in zijn gezicht. Hij veegt het met een snel gebaar achter zijn oren. Zijn ogen zijn nog donkerder dan die van Stijn. Ik stop met kauwen.

'Simion,' zegt hij en steekt zijn hand uit.

'Donna.' Zijn hand is warm en zacht. Boven zijn lip heeft hij een klein litteken.

'Simion komt ons de komende drie maanden helpen in het restaurant,' legt mijn vader uit. 'Hij komt uit Hongarije.'

Simion glimlacht, maar hij zegt niks. Spreekt hij geen Nederlands of is hij gewoon een beetje verlegen? Hij knikt dankbaar als mijn vader gebaart dat hij mag gaan zitten.

Tijdens het eten kijk ik naar de jongen, die in allerlei talen door elkaar en met veel handgebaren antwoord probeert te geven op vragen van mijn ouders. Hij tekent zelfs iets op een servetje. Hij lijkt een aardige jongen, maar toch. Drie maanden lang zal deze vreemdeling elke dag tegenover mij aan de eettafel zitten. Wil ik dat wel? Aan mij is niks gevraagd.

Waarom nemen we niet gewoon iemand uit de buurt? Die hoeft tenminste niet in ons huis te logeren.

'Donna, ruim jij even af?' Mijn moeder doet de deksel op de pan en ik stapel de borden op elkaar. Simion staat meteen op om te helpen en glimlacht verontschuldigend naar me, alsof hij sorry wil zeggen voor zijn aanwezigheid.

Het is pikkedonker in mijn kamer als ik midden in de nacht wakker schrik. Mijn benen en rug zijn nat van het zweet. Ik droomde dat ik levend werd begraven. In de kleine kist onder de grond kon ik niet ademen en me nauwelijks bewegen.

Ik sla de dekens van me af en kom overeind. Het nachtlampje hult de kamer in een gelig licht. Mijn ademhaling gaat snel.

Rustig, zeg ik tegen mezelf. Ga even wat water drinken.

In de spiegel boven de wastafel zie ik mijn spierwitte gezicht. Ik geef bijna licht in het donker. Kom ik ooit van die stomme angst af? Ik laat de deur van mijn kamer elke avond open, maar de kleine ruimte verstikt me.

Als ik terugloop naar mijn kamer bots ik tegen een groot lichaam op. Ik gil. Het is Simion in zijn boxershort.

‘*Sorry.*’ Dat woord kent hij dus.

‘Geeft niet,’ zeg ik. ‘Wat doe je hier?’

Hij kijkt me niet-begrijpend aan.

Ik schud mijn hoofd. Laat maar zitten. Het is veel te laat voor servettekeningen.

Simion maakt een drinkgebaar. Dus hij moet er ’s nachts ook uit om te drinken. Gaat hij voortaan elke nacht langs mijn kamer sluipen? Ik weet niet of die deur dan nog wel openblijft.

‘*You OK?*’ Hij kijkt me aan. Zijn ogen lijken echt op die van Stijn.

‘*Yes.*’ Ik ben even al mijn woorden kwijt. Engels is al niet mijn sterkste vak. En al sprak ik die taal wel vloeiend, wat zeg je midden in de nacht tegen een wildvreemde jongen van achttien op je overloop?

Simion veegt voor de zoveelste keer een lok haar uit zijn ogen. Ik krijg het er warm en koud tegelijk van.

‘*I go.*’ Simion wijst op de badkamer.

Ik knik. ‘Ik ook. En ik doe mijn deur op slot.’

Simion glimlacht.

Met bonzend hart loop ik terug naar mijn kamer en draai de sleutel om. Ik voel me kinderachtig.

Dinsdag is de enige dag dat ik vroeg ben, want dan hebben we de eerste twee uur gym. Ik doe er alles aan om Jen te ontwijken in de kleedkamer.

De gymzaal ruikt naar zweetvoeten en er zijn alleen een paar jongens aan het overschieten. Stijn is ook altijd vroeg. Hij zit op een bank aan de kant en trekt zijn schoenveters strakker.

Ik ga naast hem zitten en hoor de stem van mijn moeder in mijn hoofd: *Nodig Stijn weer eens uit. Dat was altijd zo gezellig.* Maar Stijn ziet me aankomen. Die heeft wel betere dingen te doen dan pannenkoeken bakken.

De gymleraar zet de spullen klaar voor trefbal, een van mijn favoriete spellen. Vaak blijven Stijn en ik als enigen over. Vroeger dachten ze dat hij me spaarde, door zacht te gooien, maar ik ben gewoon te snel. Stijn heeft nooit van me kunnen winnen, wat hem juist nog fanatieker maakte.

'Ook goedemorgen, Stijn!' De stem van Jen schalt door de gymzaal. 'Waar was jij nou vanochtend?'

Stijn schuift opzij om ruimte te maken op de houten bank. 'Ik ben altijd vroeg op dinsdag.'

Jen trekt een pruillip. 'Ik heb een kwartier staan wachten met Sara.'

'Sorry.' Stijn lacht en legt een arm om haar heen.

Ik kan alleen maar toekijken.

De straal van de kleedkamerdouche is zo heet dat mijn lichaam rood gloeit. De gymles was geweldig. Aan het eind van het trefballen stonden Stijn en ik als roofdieren tegenover elkaar. Stijn gooide de zachte witte bal keihard langs me heen. Jens stem schalde, maar ik verstond niet wat ze zei. Ik was alleen met Stijn en de bal.

We draaiden nog een tijdje om elkaar heen, tot ik een schijnbeweging maakte en de bal recht in zijn buik mikte. Stijn hapte naar adem en lachte naar me. Mijn team juichte en even voelde ik me weer als vroeger. Stijn en ik. Niemand die daartussen kan komen.

'Sta je te dromen?' Jen komt de doucheruimte binnen. De helft van onze klas weigert te douchen, maar zij heeft er ook geen moeite mee. Ze komt tegenover me staan en maakt haar lange haren nat.

'Je was goed net.'

Ze heeft haar ogen dicht. Ik word bedwelmd door de kiwigeur van haar shampoo. Ik weet nooit of ze iets meent.

'Jij ook.' Jen werd als derde afgegooid, maar ik heb geen idee wat ik anders moet zeggen. Ik wil hier weg. Ineens voelt de doucheruimte klein, met een naakte Jen tegenover me.

'Loop je vanmiddag met ons mee?' Jen masseert haar hoofd. De schuimzee is enorm. Wil ze mij er nu ineens bij hebben? Dat kan ik me niet voorstellen. Maar zo doet ze al zo lang ik haar ken. Vriendelijk en dan weer vals.

'Ik kan niet.' Snel loop ik de doucheruimte uit. Met vochtige benen stap ik in mijn spijkerbroek. Ik wil hier zo snel mogelijk weg.

Buiten bots ik bijna tegen Stijn op. Hij heeft natte haren en er hangt een druppel water aan zijn neus, die hij snel weglikt. Ik wil een leuke opmerking maken. Iets waardoor hij misschien ook even terugdenkt aan vroeger.

Maar Stijn vraagt: 'Is Jen al bijna klaar?' en ik voel me weer net zo klein en onbelangrijk als altijd. Hoe kon ik denken dat er iets van vroeger in de lucht hing? Alleen maar door dat potje trefbal?

'Nee,' zeg ik. 'Dat kan nog wel even duren.'

Drie

'Volgende week vier ik mijn verjaardag.'

Sara deelde enveloppen uit. Ik keek naar de vrolijke kleuren. Rood, geel, oranje. Welke kleur zou ik krijgen?

De laatste envelop gaf ze aan Stijn. Hij keek meteen naar mij. Ik kon niet goed zien wat hij dacht. Schaamde hij zich ook voor mij, net als ikzelf?

'Sorry.' Sara keek niet mij aan maar Stijn. 'Niet meer dan twaalf, zei mijn moeder. Ik moest kiezen.'

Ik keek naar Jen, die me schijnheilig aankeek. Volgens mij was dit haar idee. Bedoeld om alleen met hem te zijn.

Ik haalde diep adem en ging voor Sara staan. Hoewel ik een kop kleiner was, leek Sara toch een beetje bang.

'Ik hoef niet eens naar je stomme feest.' Ik keek naar Stijn. 'Ga je mee voetballen?'

'En toen liep ze weg, zonder iets te zeggen.'

Na school wacht ik vol spanning af wat ze nu weer te zeggen hebben. Ik voel me niet schuldig dat ik hen afluister. Dit is mijn boom. Kan ik het helpen dat ik hen hoor? 'Snap jij daar nou iets van?' gaat Jen verder.

'Ik niet,' zegt Sara.

'Zo is Donna,' zegt Stijn. 'Die zegt nooit veel.'

Als hij mijn naam zegt gaat er een schok door me heen. Ze lopen nu vlak onder mij langs. Mijn gympen bungelen een paar meter boven hun hoofden.

'Hoe lang ken je haar al?' vraagt Jen. 'Ook sinds groep acht?'

Jen kwam zomaar onze klas binnen, aan het begin van het laatste jaar. Ze was hierheen verhuisd.

‘Al sinds mijn geboorte.’ Stijn schopt een steentje weg. ‘Lang dus.’

Stijn heeft het altijd voor me opgenomen, zelfs toen Sara mij als enige geen envelop gaf. Hij werd boos en ik durfde natuurlijk weer niks te zeggen.

‘Hebben jullie iets gehad?’ vraagt Jen.

Ze lopen verder weg en ik heb moeite om ze nog te kunnen verstaan.

‘Nee, natuurlijk niet,’ zegt Stijn.

Ik kijk hen niet na. Ik wil niet zien hoe Jen met hem flirt, net zolang tot ze krijgt wat ze wil. Hoe ze ineens elke dag met z’n drieën naar school lopen en weer terug. Hoe Stijn steeds verder van mij verwijderd raakt.

Ik slinger mijn linkerbeen over de stam en laat me naar beneden zakken.

‘Hé.’

Het brillenmeisje weer.

‘O. Hallo.’

‘Zat je weer boven?’ Ze kijkt me vragend aan.

‘Ik... ik moet net gaan.’

Het meisje lacht. ‘Jij moet altijd net gaan.’

‘Het is ook zo. Ik moet mijn ouders helpen met pannenkoeken bakken.’

‘Leuk. Kun je dat goed?’

‘Ik ben een ster.’

‘Hoe heet je eigenlijk?’

‘Donna.’

‘Ik ben Iris.’

Met Iris achter me aan loop ik naar huis. Ik kan haar moeilijk verbieden ook die kant op te gaan. Ze neemt weer die vreemde stappen, zoals paarden kunnen doen tijdens wedstrijden. Ze trekt haar benen heel hoog op.

‘Het is zeker wel lekker rustig boven in die boom?’

Mijn benen voelen plotseling slap aan. Ze weet het.

Mijn eigen ouders weten niet eens dat ik daar zit, maar dit meisje heeft alles door.

'Valt mee.' Het gaat haar niks aan. Die boom is de enige plek waar ik kan ontsnappen aan de drukte van het restaurant. Waar ik na kan denken over vroeger. Waar ik, in mijn herinneringen, de Donna kan zijn die ik wíl zijn.

'De vorige keer zat je er te lezen.' Iris ratelt maar verder.

Hoe komt ze daar nou weer bij? Ik zat huiswerk te maken. Heeft Iris mij bespied, vanaf een andere tak?

'Ik hoorde dat je een boek dichtsloeg,' zegt Iris.

Ik lach nerveus. 'Onzin, zoiets kun je niet horen.'

Iris zwijgt.

Zie je wel, ze bluft.

'Nou, ik ga naar binnen.' Mijn hand ligt al op de deurknop.

Iris kijkt langs me heen. 'Succes met koken.'

Op dat moment gaat de deur open en val ik bijna naar binnen. Mijn moeder kijkt me lachend aan.

'Lieverd, ben je daar eindelijk? En je hebt iemand meegenomen?' Mijn moeder kijkt naar Iris, die vriendelijk glimlacht.

Ik wil zeggen dat ik haar niet ken, maar het is al te laat.

'Kom binnen, meid. Ik ben Donna's moeder.'

Iris negeert de uitgestoken hand, maar zet een stap naar voren, botst half tegen de deurpost op en is nog eerder binnen dan ik.

'Ik ben Iris,' zegt ze, terwijl ze haar vingers over het behang laat glijden.

Dan zet ze haar zonnebril af en kijkt naar mij. Voor het eerst zie ik haar ogen. Ze zijn knalgroen en schieten heen en weer. Haar blik is wazig, alsof ze dwars door me heen kijkt. Dan pas besef ik het. Ze is blind. Hoe kan het dat ik dat nu pas doorheb?

'Sorry,' zegt Iris tegen mij. 'Ik kijk altijd hoe lang ik het vol kan houden.'

'Hier staat het beslag.' Mijn moeder leidt Iris door de keuken. Ze is helemaal gelukkig dat ik eindelijk iemand heb meegenomen.

'Het ruikt hier lekker,' zegt Iris. 'Maken jullie ook pannenkoeken met appel en kaneel?'

Dat is de beste vraag die ze kan stellen. De pannenkoek appel en kaneel is mijn moeders geheime recept. Er zijn gasten die er speciaal voor komen. Volgens mij weet zelfs mijn vader niet wat ze in het beslag doet, naast de bekende ingrediënten. Stijn en ik probeerden haar vroeger altijd uit te horen, maar ze laat niks los.

'Je mag er straks wel eentje proeven,' zegt mijn moeder.

'Graag.'

Wat doet deze Iris ineens in mijn leven? Ik heb helemaal geen zin in een vreemd kind, dat alles over mij lijkt te weten.

'Simion is boodschappen doen, die komt straks pas thuis. Waarom beginnen jullie niet alvast met appels schillen?' Mijn moeder glimlacht stralend.

'Dat lukt toch niet?' Ik knik naar Iris, die aan de rand van het aanrecht voelt. Ze heeft haar zonnebril weer opgezet.

'Donna!' Mijn moeder kijkt me streng aan.

Even later staan Iris en ik naast elkaar aan het aanrecht met een grote schaal appels tussen ons in. De radio vult de keuken met muziek.

'Mooi nummer is dit.' Iris mikt een geschilde appel in de plastic kom. Ze kan het veel beter dan ik had verwacht. 'Het is van die film toch?'

'Kijk jij films dan?'

'Ik luister ze.' Iris reageert niet op mijn nare toon. 'Als de teksten goed zijn mis je bijna niks.'

Ik probeer me voor te stellen hoe je een film kan kijken zonder beeld. Is dat niet vreselijk saai?

‘Klaar.’ Iris mikt de laatste geschilde appel in de kom en lacht. Ze is nog sneller dan ik.

‘Hier is mijn kamer.’ Met tegenzin heb ik Iris mee naar boven genomen.

‘Oké.’ Iris stapt naar binnen en tast om zich heen. Het bureau, de grote kledingkast en het halfhoge bed met kastjes eronder.

‘Het is lekker licht.’

Dat klopt, mijn grote raam kijkt uit op mijn boom, maar...

‘Hoe weet je dat?’

‘Ik kan een beetje licht en donker zien,’ zegt Iris. ‘Maar dat is alles.’

‘Ben je al lang blind?’ Ik kijk hoe ze op mijn bed gaat zitten. Ze vouwt haar handen onder haar benen.

‘Al sinds mijn geboorte,’ zegt ze nuchter. ‘De artsen denken dat er iets mis is met de zenuwen achter mijn ogen.’

Ik knik, ook al begrijp ik er niks van. Maar dat ziet ze natuurlijk niet. ‘O ja,’ zeg ik.

‘Ik ruik appel en kaneel,’ zegt Iris.

Ik haal mijn schouders op. ‘Het ruikt hier altijd naar pannenkoeken.’

‘Daarom zit je zo vaak in die boom.’ Iris lacht. ‘Nu snap ik het.’

‘Dat is helemaal niet waar,’ zeg ik snel. ‘Je snapt er niks van.’

Niemand kan snappen wat die boom voor me betekent. Het is de enige plek waar ik niet telkens op mijn hoede hoef te zijn voor Jen, of wie dan ook.

Iris kleurt. ‘Sorry, ik bedoelde het niet...’

‘Je kent me niet eens.’

Het voelt vreemd dat er opeens een meisje op mijn

bed zit. Hier is al twee jaar niemand geweest. De laatste en enige die hier kwam was Stijn. Die nu liever met Jen flirt dan met mij pannenkoeken bakt. Iris zit hier op mijn kamer en stelt vragen over de boom. Mijn boom. Ze komt veel te dichtbij. Ineens voelt mijn kamer weer heel klein. Mijn handen trillen.

'Misschien... misschien kun je beter gaan.'

Iris kijkt op. Alsof ze me scant, achter die donkere bril. Even denk ik dat ze ertegenin gaat, maar dan staat ze op. Ze vindt nu moeiteloos haar weg naar beneden.

Mijn moeder steekt haar hoofd om de keukendeur en kijkt verbaasd naar Iris. 'Wil je mijn specialiteit niet meer proeven?'

Ik schud mijn hoofd. 'Ze gaat net weg.'

Met open ogen lig ik in bed naar het plafond te turen. In het donker kan ik de drie kronkeldraadjes onderscheiden voor een lamp, die nooit is opgehangen.

Ik zucht diep. Had ik Iris wel zo mogen laten gaan? Ik kon haar blik niet zien door die donkere glazen. Ze liep zonder iets te zeggen het zandpad af. Het zou aardiger zijn geweest om haar terug te roepen, maar ik deed snel de voordeur dicht.

Wat had ik dan moeten doen? Iemand duikt plotseling op bij je geheime plek en even later zit ze op je kamer. Het enige wat ik van dit vreemde meisje weet, is dat ze Iris heet en blind is. Ik weet niet eens waar ze woont of waar ze naar school gaat. Het is toch logisch dat ik zo reageerde?

Ik kijk naar de klassenfoto's, die boven mijn bureau hangen. Nu zijn het twee donkere rechthoeken, maar ik ken de foto's uit mijn hoofd. Op de foto van groep acht sta ik helemaal achteraan, naast Stijn. Hij had zijn pols gebroken met skateboarden en ik had op zijn gips geschreven. Het was vlak voor die ene dag waarop alles anders werd.

Op de tweede foto sta ik vooraan, naast de brugklasmentor. Stijn zit op het muurtje, vlakbij Jen en Sara. Dat zal Jen wel geregeld hebben.

Klaarwakker sta ik op en loop naar de wc. De houten planken kraken onder mijn voeten. Het is pikkedonker op de gang.

Tot mijn verbazing is de wc weer bezet. Simion? Dit is toch niet te geloven? Door mijn gesloten kamerdeur hoor ik zijn voetstappen natuurlijk niet meer.

'Donna.' Zijn stem komt boven de spoeler uit als hij naar buiten stapt. '*You again.*'

Ik knik. Dit is toch míjn huis? 'Ja ik weer.'

'*Your friend. She made very good apples today.*' Simion steekt zijn duim op.

Mijn vriendin. Iris had ongelooflijk dunne plakjes appel gesneden, dunner dan ik ze ooit snij. Mijn moeder zei aan het avondeten nog dat er gasten waren die het opviel. En nu zegt Simion het ook. *Good apples.*

Ik haal mijn schouders op. 'Valt best mee. En ze is mijn vriendin niet.'

Simion knikt alsof hij het begrijpt, en verdwijnt op blote voeten naar boven.

Vier

'Waarom gaan we niet naar een pretpark?' Sara roept haar idee voor ons klassenuitje door de klas. Iedereen begint meteen te joelen.

'Dat is veel te duur. De entree kost al een vermogen, en dan nog met de bus of trein.' Onze mentor schudt spijtig zijn hoofd. 'Iemand anders nog ideeën?'

Eigenlijk maakt het me niet uit waar we heengaan. Ik zie altijd vreselijk op tegen het klassenuitje. Een hele dag onder de mensen. Nog erger deze keer: een hele dag Jen en Stijn. Er is geen plek waar ik me kan verbergen. Geen boom en geen plekje achter het fietsenhok.

Ik kijk uit het raam, waar het schoolplein er verlaten bij ligt. Plotseling moet ik aan Iris denken. Het bezorgt me een naar gevoel in mijn buik. Waarom doe ik zo vals en zit ik er tegelijk ook zo mee? Maar voor ik het weet wil ze ook in de boom. En dan moet ik haar zeker ook vertellen over vroeger?

'We kunnen een paar dagen weg?' Jen kijkt onze mentor aan. 'En dan met z'n allen op een slaapzaal.'

Ik zie het al voor me.

'Dat is toch ook veel te duur.' Onze mentor lacht.

Opgelucht haal ik adem. Ik kan moeilijk tegen de klas zeggen dat ik een hekel heb aan logeren. In een vreemd bed doe ik geen oog dicht. Dat was vroeger al zo. Als ik bij Stijn logeerde lag ik de hele nacht wakker. Ik heb ook weleens midden in de nacht mijn ouders gebeld om me op te komen halen.

'Donna's ouders hebben een hotel.'

Ik kijk verbaasd naar Stijn, die achter me zit. Hij kijkt

me lachend aan, alsof het een geweldig plan is.

'Dan is alles opgelost,' gaat hij door. 'Het is dichtbij, het kan vast wel voor een vriendenprijsje en er zijn genoeg kamers. Bovendien is het midden in het bos.'

Hoe kan hij dit zeggen? Het idee dat al mijn klasgenoten bij mij thuis komen maakt me duizelig.

'Ik weet niet of mijn ouders dat willen,' probeer ik.

'Natuurlijk moet je het eerst overleggen, maar ik vind het wel een goed idee.' De mentor kijkt me aan. 'Ga je het vragen?'

Nee. Natuurlijk niet. Het is een belachelijk idee.

'Ja,' zeg ik. 'Dat zal ik doen.'

Met een knal gooi ik de keukendeur dicht. Simion, die aan het aanrecht staat, kijkt geschrokken op.

'*You OK?*'

Zijn gebrekkige Engels irriteert me. Vandaag kan ik even helemaal nergens meer tegen. Jen kwam net naar me toe op het schoolplein en vroeg of ik het niet erg vond. Volgens mij heeft ze heel goed door hoe vreselijk ik het vind.

'Nee, het gaat niet.' Ik kijk Simion aan. 'Straks lopen die twee trutten door mijn huis.'

Simion trekt zijn wenkbrauwen op. '*Sorry?*'

'En wat moet ik dan met Stijn? Hij is hier al twee jaar niet geweest.' Ik ratel maar door. Het idee dat Simion geen woord verstaat van wat ik zeg maakt het een stuk makkelijker.

Simion pakt een glas uit de buffetkast en schenkt er jus in. Zonder iets te zeggen geeft hij het aan mij en gaat op een hoge kruk zitten. Hij blijft me aankijken, wachtend op meer.

'En natuurlijk vindt mijn moeder het een geweldig idee, dat kan niet anders. Ze heeft jou tenslotte ook zomaar in huis gehaald. En voor het eerste het beste blinde meisje gaat ze meteen pannenkoeken bakken.'

Ik drink het glas leeg en zet het met een klap op tafel. Er valt een stilte in de keuken. Alleen de afzuigkap ruist. Simion zit nog altijd op zijn kruk. Zijn donkere haren zijn in een staartje gebonden en er hangt een vieze theedoek aan zijn schort. Ergens is het te gek voor woorden dat ik dit allemaal zeg.

Simion zit me met zo'n onbegrijpende blik aan te kijken dat ik haast moet lachen. Snel kijk ik naar het aanrecht, waar allerlei ingrediënten liggen. Wat is Simion nou aan het doen? Verbaasd kijk ik naar de spullen. Tomaten, bladerdeeg, pesto, basilicum. Wat voor pannenkoek wil hij daarvan maken?

'I make dinner for you.' Simion wijst op een kookboek. *Olasz szakácskönyv.* Op de voorkant staat de vlag van Italië. Een Italiaans kookboek in het Hongaars dus.

Ik knik. 'Lekker.'

Simion trekt een moeilijk gezicht en haalt diep adem. *'Lèk-kèr?'*

Het klinkt vreemd uit zijn mond, alsof het een heel ander woord is. Simions hoopvolle blik maakt me aan het lachen.

'Zoiets.'

'Sara's feestje was leuk.' Jen kwam naast me staan in de pauze. 'Stijn was er ook.'

'Stijn?' Ik wist helemaal niet dat hij zou gaan. Op de een of andere manier voelde ik me verraden.

'Ja, wist je dat niet?' Jen klonk opgewekt.

'Natuurlijk wel.' Ik was zijn beste vriendin. Hij vertelde mij alles. Waarom had hij hier niets over gezegd? Het idee dat mijn hele klas daar was, behalve ik, gaf me een hol gevoel in mijn maag.

'Nou, ik ga lummelen.' Jen liet me verward achter. Ik voelde haar woorden in mijn hele lijf. Ik wist dat Jen dit expres deed. Ze vond het heerlijk om me te kwetsen. Waarom? Wat had ik haar misdaan?

Ik keek toe hoe de bal in de rozenstruiken belandde en Jen zich voorzichtig voorover boog om hem te pakken. Nadenken deed ik niet. Met haar woorden in mijn achterhoofd rende ik op haar af. In volle vaart zette ik mijn handen tegen haar rug. Jen belandde met haar gezicht in de doorns.

Glimlachend doe ik mijn ogen weer open. In gedachten zie ik Jen uit de struik komen, onder de stekels. Had ik het maar gedaan. Had ik haar maar geduwd. *Met mij valt niet te spotten. Als je me kwetst pak ik je terug. Keihard.*

In het echt stond ik in mijn eentje op het schoolplein. En met Stijn heb ik het er nooit over gehad. Niet over het feestje en niet over de valse dingen die Jen altijd zegt.

Mijn ogen gaan naar de zandweg, die helemaal leeg is. Geen Iris. Ik kijk op mijn horloge. Het is al laat.

Ik schud mijn hoofd. Wat had ik dan verwacht? Dat ze doodleuk weer langs zou komen? Nadat ik haar gisteren heb weggestuurd?

Heeft ze de weg naar huis wel kunnen vinden? Het idee dat ik met mijn ogen dicht het zandpad af moet... Ik zou over van alles struikelen.

Ach, natuurlijk is Iris veilig thuisgekomen. Ze is niet anders gewend.

Ik slinger mezelf naar beneden. Eigenlijk ben ik allang blij dat Iris me niet weer betrapt, onderaan de stam. Het is allemaal veel te ingewikkeld. Ik heb wel wat anders aan mijn hoofd. Het klassenuitje bijvoorbeeld.

Mijn moeder staat met een boodschappentas vol spullen bij de keukentafel als ik binnenkom. Ze wijst op de gedekte tafel. Op de borden liggen donkerblauwe servetjes.

'Heb jij dit gedaan?'

Ik kijk naar de nette keuken. Hij heeft er echt werk van gemaakt.

'Nee, Simion.'

'Heeft Simion gekookt?' Mijn moeder klinkt verrast. 'Ik wíst dat we die jongen aan moesten nemen.'

Ik kijk naar de tafel. 'Eten we met z'n tweeën?'

'Je vader en Simion eten later. Het is ongelooflijk druk.' Mijn moeder trekt de oven open en knikt goedkeurend. 'Heerlijk dit, zeg.'

Misschien kan ik het maar beter meteen vragen. Dan ben ik ervanaf.

'Mam?'

'Ja?'

'Onze mentor wil een klassenuitje organiseren, maar het mag niet teveel geld kosten. En nu had Stijn het idee om het hier te doen.'

Bij de naam Stijn kijkt ze op. 'Wat een leuk idee.'

Zie je wel. Ze vindt het geweldig.

'Maar dan komen hier twintig mensen logeren. Daar hebben we toch helemaal geen ruimte voor?'

'De hotelkamers staan toch leeg. Daar kunnen ze heus wel slapen, hoor. We leggen gewoon wat extra matjes neer.'

Ik haal diep adem. 'Jullie hebben het al zo druk met het restaurant. Is het niet veel teveel?'

Mijn moeder schudt wild haar hoofd. 'Ik overleg het wel met je mentor en misschien moeten we voor die week een extra hulp inhuren, maar wat mij betreft is het oké.'

'Weet je het zeker?' probeer ik nog een laatste keer. Jen mag hier niet komen. Helemaal niet samen met Sara en de rest van de klas. Hoe kan ik hen dan nog ontwijken?

Mijn moeder pakt met twee wanten de taart uit de oven

en zet hem op tafel. De tomaatjes liggen in keurige plakjes over elkaar en de geur van pesto vult de keuken.

'Heel zeker.'

Ik kijk naar Simion, die alle borden in de vaatwasser zet. Daarna spuit hij het aanrecht schoon met de afwasslang. Een golf water komt op de vloer terecht.

Mijn moeder heeft na het eten meteen de mentor gebeld, die haar heel erg dankbaar was. In gedachten zie ik het gezicht van Jen, als ze hoort dat haar plannetje is geslaagd.

Ik schrik van de koude golf water in mijn schoot. Mijn spijkerbroek is zeiknat. Simion staat met een brede grijns naar me te kijken. Hij heeft de afwasslang in zijn handen, waar nog altijd water uitstroomt.

Sorry, zegt hij met een schijnheilige blik.

Ja ja. Ik spring van mijn kruk en grijp de emmer met vuil water, die daar nog staat.

Als een jager loop ik op Simion af. Langzaam en berekenend. Als hij nog één beweging maakt gooi ik het over hem heen.

Simion kijkt benauwd naar de emmer en schudt wild zijn hoofd. Zijn zwarte haren gaan alle kanten op.

Ik doe nog een stap dichterbij en til de emmer boven mijn hoofd. Simion slaakt een kreet en richt de slang op mij. Een harde waterstraal raakt me midden in mijn gezicht. Ik laat de emmer vallen en plotseling gebeurt er van alles tegelijk. Simion krijgt het vieze water over zich heen en ik struikel. In mijn val trek ik de besteklade uit het aanrecht en ik kom neer in een zee van vorken en lepels.

'Donna? Simion!' Mijn vader staat in de deuropening naar ons te kijken. 'Wat gebeurt hier?!'

Simions witte T-shirt is bruin en drijfnat. Hij haalt snel de emmer van zijn knalrode hoofd.

Ik sta op en wring mijn haren uit. De plek op mijn dijbeen waar ik op een vork terechtkwam doet zeer.

'Dit is binnen een halfuur opgeruimd! Zijn jullie helemaal gek geworden?' Mijn vader kijkt ons kwaad aan.

Als hij weg is help ik Simion met opruimen. Terwijl hij de vorken terug in de lade legt kijk ik naar zijn lippen, waar hij geconcentreerd op bijt. Zijn natte T-shirt plakt aan zijn lijf. Hij zou zo op de poster in een meidenblad kunnen. Zou hij in Hongarije een vriendin hebben?

Vast wel. Een knappe blonde. Een soort Jen, maar dan lief.

Eigenlijk weet ik niks van Simion. Hij woont hier, ik kom hem elke avond tegen bij de wc, maar hij is een volslagen vreemde. Waarom irriteert me dat zo? Voor ik het weet zijn de drie maanden voorbij en is hij terug in Hongarije. Dan zie ik hem toch nooit meer.

'Het eten was lekker,' zeg ik, terwijl ik de stapel lepels van Simion overneem. Zijn natte haren druppen op de keukenvloer.

'Lekker?' Dat klinkt een stuk beter dan vanmiddag.

Ik glimlach. 'Ja. Maar ik denk dat je nog wel tien keer mag koken voordat mijn vader deze bende is vergeten.'

Vijf

Voor de zoveelste keer tuur ik het zandpad af.

Waar wacht ik eigenlijk op? Tot het drietal voorbij is? Of wacht ik op Iris? Ik merk dat ik uitkijk naar een oranje vlek in de verte. Even voel ik me heel stom. Iris wil vast niks meer met me te maken hebben. En ik niet met haar. Tenminste, dat geloof ik.

Iris is moeilijk, ze stelt teveel vragen en bemoeit zich overal mee. Maar toch, voor het eerst sinds maanden voelde ik me niet zo alleen.

Tot mijn grote verbazing zie ik om kwart over acht Stijn in zijn eentje aankomen. Waar zijn Sara en Jen? Opgelucht ga ik wat naar voren zitten. De tak kraakt vertrouwd. Zou hij ruzie met Jen hebben? Voor ik het weet klim ik naar beneden en haal ik hem in.

'Hé.' Ik lik snel de restjes tandpasta uit mijn mondhoeken. Nu kan ik niet meer terug.

'Hé.' Stijns stem klinkt verrast. 'Waar kom jij nou ineens vandaan?'

Ik voel dat ik kleur. 'Van huis.'

'Ik heb je niet gezien.' Stijn kijkt om. 'En ik kom er net langs!'

Hoe red ik me hier nou uit? 'Waar zou ik anders vandaan komen?'

Stijn lacht. 'Heb je het trouwens nog gevraagd aan je ouders gisteren?'

Ik knik. 'Ze vinden het goed.'

Stijn steekt zijn duim op. 'Geweldig.'

Even voelt het net als vroeger. Samen naar school. Op de basisschool deden we niet anders. Ik loop extra langzaam, om dit gevoel maar zo lang mogelijk vast te houden. Straks zijn we weer op school en dan blijkt er helemaal niks veranderd. Donna en Stijn, dat bestaat niet meer.

'Het wordt wel druk,' zeg ik, terwijl we de hoek omslaan. 'Twintig mensen.'

'Jullie zijn wel wat gewend.' Stijn schopt een steentje weg. 'Volgens mij zit het elke avond vol bij jullie.'

'We hebben een hulp.'

'Echt? Wie?'

'Een jongen uit Hongarije.'

'Spreekt hij wel Engels?'

Ik denk aan Simions korte zinnen. Hoeveel heeft hij nu eigenlijk gezegd? Bij elkaar misschien tien woorden. 'Perfect.'

In de verte zie ik de school alweer liggen.

'Zullen wij samen?' Stijn komt naast me zitten bij Nederlands en heeft een wit blaadje in zijn handen. We hebben een kleine opdracht gekregen, die we in tweetallen moeten maken. Jen en Sara zijn nog steeds nergens te bekennen.

'Is goed.' Ik voel me opgelucht als Stijn naast me komt zitten. Eindelijk weer eens niet alleen.

Stijn schuift zijn stoel aan en legt de opdracht tussen ons in. We moeten synoniemen voor de gegeven woorden bedenken. Stijn is slecht in Nederlands, dat was vroeger al zo. Door zijn dyslexie heeft hij vaak een enorme achterstand. Hoe vaak heeft hij op de basisschool niet bij me afgekeken?

'Een ander woord voor *opduiken*.' Stijn kijkt me lachend aan. 'Die moet jij toch weten. Je kwam vanochtend uit het niets.'

Verschijnen, schrijf ik op de stippellijn. 'Een ander woord voor *plagen*.'

Stijn bijt op de achterkant van zijn pen. *'Jennen.'*
Ik probeer mijn lachen in te houden. *'Sarren.'*
Stijn grijnst breed en schrijft onze ideeën op het blaadje. 'Het is maar goed dat ze er vandaag allebei niet zijn.'

Tijdens de eerste pauze sta ik met Stijn bij de ingang van de school. Voor het eerst sinds tijden zit ik niet achter de fietsenstalling, maar nu Jen en Sara niet op school zijn voel ik me vrij.
Als de eerste bel gaat, komen de twee vriendinnen toch nog het plein op fietsen. Meteen voel ik me weer elf jaar.
Stijn kijkt verbaasd naar Jen, die hem wenkt. 'Die zijn laat, zeg. Ik ben zo terug.'
Hij laat zijn rugzak vallen en rent naar hen toe. Vanaf mijn plek bij de deur zie ik Sara wild gebaren. Als Jen zich omdraait schrik ik. Ze heeft een blauw oog, en haar lip en wenkbrauw bloeden. Wat is er gebeurd?
'...en hij reed gewoon door!' roept Sara. Ze lopen mijn kant uit.
'Moet je niet naar de dokter?' Stijn bekijkt de snee.
Jen kermt, maar schudt haar hoofd. 'Volgens mij valt het wel mee. Je zal ons wel gemist hebben.'
Is dat zo? Natuurlijk. Anders had Stijn die opdracht nooit met mij gedaan. Als er tweetallen gemaakt moeten worden zijn zij altijd een drietal. En nu Jen terug is lijkt hij mij alweer vergeten.
'Laten we toch maar even naar de conciërge gaan.' Stijn loopt langs me heen de school in. Ik pak zijn rugzak en sjok naar het lokaal.

Tijdens de les is Jens valpartij het nieuws van de dag. Haar snee is bekeken door de conciërge, en die zei dat het vanzelf moet helen. Het ziet er erger uit dan het is. Toch draagt Stijn al de hele dag Jens schoudertas.

Als de bel eindelijk gaat ben ik als eerste het lokaal uit. Bij de kluisjes gooi ik mijn boeken in mijn tas. Mijn lijf trilt van woede. Op Stijn, op Jen, maar vooral op mezelf. Ik moet stoppen met hopen dat alles goed komt.

'Hé Donna.' De stem van Jen. Waarom heb ik haar niet aan zien komen? Weglopen is nu te laat.

'Hé.'

'Heb jij vanochtend met Stijn gelopen?' Jen struikelt over haar woorden.

'Ja.'

'En in de les?'

Zal ik haar vertellen over de opdracht die we samen hebben gemaakt? Hoe we de slappe lach kregen, net als vroeger? Maar wie hou ik dan eigenlijk voor de gek?

'We hebben samen een opdracht gemaakt.'

Jen herstelt zich. 'Ik hoop dat je weet dat dat alleen was omdat wij er niet waren. Dat snap je toch?'

Mijn handen jeuken. Jens mond krult om tot een kleine glimlach. Waarom zeg ik niks? De Donna in de boom zou haar een duw geven. Misschien zelfs een klap. Of een rake opmerking maken en weglopen. Maar mijn mond voelt droog aan, alsof ik een hele dag niks heb gedronken.

'Super trouwens dat we bij jou kunnen logeren.' Jen klinkt ineens heel vriendelijk. 'Dat je ouders dat goed vinden.'

'Die zijn niet zo moeilijk.' Ik hoor mezelf praten, maar besef nauwelijks wat ik zeg. Ik wil hier weg. Zo snel mogelijk.

'Stijn heeft weleens verteld over jullie huis. Het is al oud, hè?'

Achter Jen zie ik Sara en Stijn aankomen. Ze kijken verbaasd van Jen naar mij en weer terug.

'Wat is hier aan de hand?' Stijn geeft Jen haar schoudertas terug, die ze glimlachend aanpakt.

'Ik zeg net tegen Donna hoe leuk het is dat onze klas bij haar mag komen.' Jen slingert haar tas over haar hoofd. 'Zullen we gaan? Ik ben nog een beetje duizelig.'

Dan draait ze zich naar mij en zet haar schijnheilige gezicht op. 'Waarom ga je niet mee, Donna? Anders loop je toch maar alleen.'

'Donna!' Simion kijkt achterom als ik de keuken binnenkom. *'Can you please help?'*

Het aanrecht lijkt wel een slagveld. Overal liggen ingrediënten en Simion staat met een verhit hoofd beslag te kloppen. Zijn wangen zitten onder het meel en de vloer is nat.

'What happened?' Ik kijk verbaasd naar de troep.

'Friday night. Busy.'

'Ja, vrijdag is altijd heel druk. Wacht maar tot al mijn klasgenoten hier zijn. Jen telt voor twintig.'

Simion wijst naar de garde. Of ik even wil kloppen. Ik kom naast hem staan.

Als hij de garde aangeeft raakt zijn arm die van mij. Op zijn knokkels zitten zwarte haartjes en hij draagt een leren armband. Als ik hem aankijk krijg ik een lieve glimlach.

'Jen is vandaag aangereden door een auto.' Ik begin fanatiek te kloppen. 'Stijn vergat me spontaan.'

'Stijn?'

'Stijn was vroeger mijn beste vriend.' Waarom vertel ik dit?

Simion wijst op zijn borst. *'Vriend?'*

Dat woord lijkt natuurlijk best op het Engelse *friend.* Toch verbaast het me dat Simion het zo goed uitspreekt.

Ik knik. 'Maar nu niet meer. Hij is verliefd op Jen, denk ik.'

Simion neemt de kom van mij over en zet hem in de koelkast. Als hij de appels begint te snijden moet ik aan

Iris denken. *Good apples.* Zie ik haar ooit terug?

Ik kijk op de klok. Als ik buiten wacht kom ik haar misschien weer tegen op het zandpad. Rond deze tijd liep ze eerder ook langs. Misschien kan ik even kijken, om zeker te weten dat het goed gaat. Ik hoef niks tegen haar te zeggen. Gewoon even kijken. *Begluren.*

Buiten herken ik na een paar minuten Iris' oranje haren in de verte. Ze komt mijn kant uit. Iris ziet er gelukkig doodnormaal uit. Zal ik maar weer naar binnen gaan?

Dan zie ik dat ze een stok bij zich heeft. Rood met wit. Ze zwaait het ding van links naar rechts. Ik zie een paar mensen in een grote boog om haar heen lopen, alsof ze een ontsnapte tijger is. Waarom doen ze zo stom?

'Hé,' zeg ik als Iris vlakbij is. Haar zwarte zonnebril schiet mijn kant op.

'Donna?'

'Ja. Hoe wist je dat?'

'Ik ben bij jullie restaurant. En ik herken je stem natuurlijk.'

Natuurlijk, zoiets kan zij horen.

'Hoe is het met je?' Ik weet ook niet waarom ik dat vraag. Misschien om zeker te weten dat ze niet verdrietig is om laatst.

'Goed. Met jou?' Iris klinkt koel. Heeft ze gehuild? Ik baal dat ik haar ogen niet kan zien.

'Goed.' Ik friemel aan het koordje van mijn jas. 'Waar ga je naartoe?'

Iris zwaait met haar stok. 'Een eindje lopen. Ik moet veel oefenen alleen.'

'Waarom heb je nu wel een stok mee?' Ik kijk naar het witte ding met de rode ringen eromheen. Ik snap nooit hoe zoiets werkt.

'Anders weten mensen niet dat ik blind ben. Dan krijg je nare opmerkingen.' Bij dat laatste woord kijkt ze naar beneden. Zie je wel. Er is iets aan de hand.

'Wat zeggen ze dan?'

'*Kijk uit je doppen*, bijvoorbeeld.'

'Dat gaat nogal moeilijk.'

'Ja, inderdaad.' Iris lacht. Haar gezicht klaart helemaal op. Komt dat door mijn opmerking? Ik snap niet waarom ze nog met me wil praten. Ik heb vreselijk tegen haar gedaan. Ieder ander had me nooit meer hoeven zien.

'Je appels waren perfect gelukt,' zeg ik om de stilte te doorbreken. 'De gasten hadden het er zelfs over.'

Iris begint te glunderen. 'Echt?'

'Ja.' Ik ben blij dat ze niet langer zo koel klinkt. Het voelt goed om hier met haar te staan. Ik heb helemaal niet de neiging om weg te rennen of me te verstoppen.

'Ik moet gaan.' Iris wil zich omdraaien.

'Zal ik anders met je mee lopen?' Ik schrik bijna van mijn eigen woorden, maar ik wil nog geen afscheid nemen.

'Wil je dat?' Iris klinkt verbaasd.

'Waar moet je heen?'

Iris wijst. 'Eigenlijk moet ik terug naar huis. Bij die nieuwbouw.'

Ze woont dus in de buurt van Stijn. Mooie huizen met lichte bakstenen en grote ramen.

'Waar ga je naar school?' vraag ik als we het zandpad af lopen. De koele Iris van net is helemaal verdwenen.

'Een speciale school voor blinde kinderen. Ik word elke ochtend opgehaald en thuisgebracht in een busje.' Iris zwaait met haar stok. Ze struikelt bijna over een boomwortel, maar weet zich staande te houden. Een paar tegenliggers kijken ons nieuwsgierig aan. Eén jongen roept iets wat ik niet versta.

'Niet op letten.' Iris lacht. 'Iedereen staart me altijd aan.'

'Hoe weet je dat?'

'Zoiets voel je toch. Heb jij dat nooit? Dat je ogen in je rug voelt prikken?'

Ik denk aan Jen. 'Dat ken ik wel.'

We stoppen bij de stoeprand en auto's razen aan ons voorbij. Iris steekt op het juiste moment over.

'Hoe weet je nou wanneer je mag?' Ik voel me net een interviewer, met al die vragen. Normaal gesproken ben ik niet zo spraakzaam, maar van haar wil ik op de een of andere manier alles weten.

'Dat hoor ik,' zegt Iris. 'De stoplichten hebben vaak tikkers, of ik hoor de auto's remmen.'

Zoals zij het zegt klinkt het simpel. Ik doe even mijn ogen dicht, maar begin meteen te wankelen op mijn benen.

'Hier woon ik.' Iris voelt aan het tuinhek.

Ik kijk naar het mooie huis, met het rode dak. Heel wat anders dan waar ik in woon.

Bij haar voordeur schraap ik mijn keel en zoek snel naar een smoes. 'Ik moet terug. Ik heb bergen huiswerk.'

Iris doet haar zonnebril af. Dit is voor het eerst dat ik haar ogen goed zie. Ze zwemmen een beetje, maar toch heb ik het gevoel dat ze me aankijkt. De felgroene kleur is prachtig.

'Als je dit weekend tijd hebt? Je weet nu waar ik woon.' Iris glimlacht verlegen.

De manier waarop ze dit vraagt is zo anders. Als Jen iets voorstelt weet je dat er iets achter zit. Elk moment kan ze weer vals doen. Maar Iris lijkt het te menen. Alsof ze echt hoopt dat ik kom.

'Zal ik doen.' Ik kijk toe hoe Iris de deur achter zich dichttrekt.

Als ik bij het zandpad kom neem ik een aanloop en spring met een grote boog over de boomwortel heen.

Zes

Op zaterdag word ik wakker uit een gekke droom. Dit keer ging het niet over kleine ruimtes, maar over Iris. Een droom vol sproeten en oranje haren. We waren samen in het zwembad en Iris zwom heen en weer met haar zonnebril op en de blindenstok in haar handen. Het hele bad keek naar ons, maar Iris lachte. En mij konden die blikken niks schelen. Iris straalde zo erg dat ze bijna licht gaf.

Waarom droom ik zoiets geks? Gaat dit over gisteren? De mensen op het bospad deden zo stom. Ze liepen in een grote boog om Iris heen. Maar waarom? Als ik Iris was, werd ik er gek van.

'Ik ga vandaag naar Iris,' zeg ik met mijn mond vol. Stukjes brood vliegen over tafel.

'Iris? Dat blinde meisje?' Mijn moeder kijkt me verbaasd aan.

'Ze is gewoon een meisje,' zeg ik. 'Net als ik.'

Mijn moeder knikt. 'Dat weet ik. Maar ze kan ook een heleboel dingen niet, dat besef je toch wel?'

'We gaan zwemmen,' zeg ik uitdagend. 'Dat besef ik.'

'Zwemmen? Hoe zie je dat voor je?'

Soms kan ik er niet tegen als mijn moeder gelijk heeft. Natuurlijk is zwemmen haast onmogelijk. Maar ik wil Iris niet op die manier zien. Dat doen al genoeg mensen.

'Ik kan haar toch helpen?' Boos beleg ik mijn tweede boterham met veel te veel hagelslag.

'Dat is ook zo, lieverd.' Mijn moeder schenkt een nieuwe kop koffie in en duikt in haar krant.

Met mijn zwemspullen in een plastic tas sta ik voor Iris' deur. Voor de tweede keer kijk ik op mijn horloge. Ben ik niet veel te vroeg? Simion gaf me een bemoedigend knikje toen ik wegging, anders was ik misschien niet eens gegaan. Ineens slaat de twijfel toe. Is het geen slecht idee? Wat weet ik nou van blind zijn?

Ik kijk naar de ramen op de eerste verdieping, maar zie geen dichte gordijnen. Net als ik aan wil bellen zwaait de deur open. Een knappe vrouw met een zwarte jas kijkt me verbaasd aan.

'Ja?'

'Ik ben Donna. Ik kom voor Iris.'

De vrouw knikt. 'Die is boven. Ik ging er net vandoor. Nou, dag, hoor.'

Nog voordat ik iets kan zeggen snelt de vrouw naar haar auto en rijdt weg. Ik stap het huis in, dat naar schoonmaakmiddel ruikt. De vloer in de hal is van donker hout en het is er doodstil, op het geluid van de wandklok na. Boven de trap is een groot dakraam gemaakt, waardoor het hele huis gevuld wordt met daglicht. Nieuwsgierig loop ik naar boven. Daar ligt donkerrood tapijt, waar ik met mijn gympen in wegzak. Het doet me denken aan de hoop bladeren onderaan mijn boom.

Waar is Iris' kamer? Is ze helemaal alleen thuis? Geen vader? Dan zie ik vier letters op de deur die je kan voelen. IRIS. Ik klop.

'Ja?'

'Ik ben het, Donna.'

Het blijft even stil, ik hoor wat gerommel, maar dan gaat de deur open. Iris is al aangekleed en draagt geen zonnebril. Het is veel fijner om haar ogen te zien.

'Hé.' Haar stem klinkt een beetje verlegen.

'Ik kwam je moeder tegen bij de voordeur,' leg ik uit.

'Die moest snel weg,' zegt Iris en ze gaat op haar bed

zitten. Haar kamer is leeg. Er staat alleen het hoognodige. Bureau, bed en kast. Aan de muren hangen geen posters, en ze zijn saai witgeverfd. Ik voel me niet op mijn gemak. Zijn de muren zo kaal omdat Iris toch niks ziet? Maar ze voelt toch wel dat dit geen gezellige kamer is? Of maakt haar dat niks uit? Ik ga op de bureaustoel zitten en weet niks te zeggen. Wat doe ik hier? Ik ken Iris nauwelijks.

Dan besef ik dat het een paar dagen geleden andersom was. En toen heb ik haar weggestuurd. Hoe kon ik dat doen?

'Wil je wat drinken?' Iris staat op.

'Moet ik het anders even halen?'

'Thuis kan ik alles, hoor.'

Stom. Dat weet ik ook wel. Samen lopen we de trap af. Volgens mij kent Iris elke trede uit haar hoofd.

'Thee?' Iris zoekt de zakjes in de voorraadkast. De keuken is chique, met rode kastjes en een gigantisch fornuis met zes pitten.

'Ja, lekker. Ben je alleen thuis?'

Iris knikt. 'Mijn ouders zijn gescheiden en mama moet vaak werken, ook in het weekend.'

Ik kijk om me heen. Zelfs hier hangen geen gezellige dingen. De muren zijn kaal. Geen foto's of kaarten, zoals bij ons. Het is net alsof er niemand woont.

'Vind je dat niet saai, zo alleen?'

'Wat kan ik eraan doen? En bovendien, maandag begint school alweer.' Iris schenkt de hetc thee in een grote mok en geeft die aan mij.

'Vind je school zo leuk?' vraag ik verbaasd. Maandag is mijn ergste dag. Dan heb ik weer een hele week Jen.

'Daar zitten mijn vrienden,' legt Iris uit. 'Die wonen zo ver weg dat ik nooit naar hen toe kan in het weekend.'

Ik heb gisteren gezocht op internet. Er zijn maar vier blindenscholen in Nederland. Gelukkig voor Iris is er eentje vlakbij, maar er zullen ook kinderen zijn die ver moeten reizen. Zou zij ook een beste vriend hebben, zoals ik vroeger Stijn had?

'Vind jij school niet leuk dan?' Iris kijkt me verbaasd aan.

Ik verslik me bijna in de hete thee. Mijn lip brandt. Moet ik haar opbiechten dat ik geen vrienden heb? Ik kijk naar Iris, met haar oranje haren en groene ogen. Ik besluit de Donna te zijn die ik boven in de boom ben. De Donna uit mijn fantasie.

'Heel leuk, maar ik heb altijd veel huiswerk.'

Iris knikt. 'Wat kwam je eigenlijk doen?'

Ik kijk naar de zwemtas aan mijn voeten en voel me stom. Iris had me toch uitgenodigd? En nu lijkt het ineens alsof ik heel wanhopig ben. Een dag later sta ik al om tien uur voor de deur. Alsof ik niet kan wáchten!

'Ik verveelde me.' Ik schuif de zwemtas onder de tafel.

'Wat heb je bij je?' Iris' blik schiet naar de vloer. Volgens mij kan ik niets voor haar verborgen houden. Ze is blind, maar ziet alles.

'Ik wilde gaan zwemmen.'

Iris lacht. 'Zwemmen?'

Zie je wel. Het is een belachelijk idee. Dat het in mijn droom allemaal heel makkelijk ging zegt natuurlijk niks. Iris heeft wel wat beters te doen dan verdrinken. En misschien vroeg ze me alleen maar uit beleefdheid.

'Ik had er ineens zin in. Maar ik vraag wel iemand anders mee, hoor.' Als ik op wil staan, houdt Iris me tegen.

'Zo bedoel ik het niet. Ik vind het heel leuk dat je er bent. Ik ben alleen verbaasd. Niemand heeft zoiets ooit gevraagd.' Ze slaat haar ogen neer.

Ik denk aan haar moeder. Gaat die nooit met haar naar het zwembad?

'Kun je het?' vraag ik voorzichtig.

‘Ik heb vroeger les gehad,’ zegt Iris. ‘Maar dat is een tijd geleden. Weet je zeker dat je dit wil?’

Ik hoor de onzekerheid in haar stem. Het maakt me strijdlustig. ‘Hoezo? Ga je in het water plassen?’

Iris lacht. ‘Geef me tien minuten. Ik moet mijn badpak zoeken.’

De bus komt piepend tot stilstand en ik help Iris uitstappen. We staan voor een groot gebouw, waar een blauwe tunnel uitsteekt. De overdekte glijbaan. Ik krijg kriebels. Zou ik het daarin ook benauwd krijgen? De laatste keer dat ik er vanaf ging was ik tien. Toen vond ik het geweldig.

‘Ik ruik het chloor al,’ zegt Iris opgewonden. Het meisje achter de kassa kijkt ons vragend aan.

‘Twee kaartjes, alsjeblieft.’ Ik leg het geld in haar handen.

Ze blikt naar Iris’ blindenstok en peutert nerveus het wisselgeld uit de lade. Ze laat het zelfs bijna vallen. Ik heb de neiging om er wat van te zeggen, maar hou mijn mond. Misschien heeft Iris het niet eens door.

‘Waar zijn de kleedkamers?’ Iris vouwt haar stok in tot er nog maar een klein stukje overblijft. ‘Dit ding gaat niet mee naar binnen.’

Ik neem haar mee naar een kleedhokje, dat op slot gaat door de bank ervoor te klappen. Iris heeft haar badpak al aan onder haar kleding. Moet ik me nou om gaan kleden waar zij bij is? Ze ziet me niet, maar toch… Snel trek ik de strakke stof over mijn dijbenen.

‘Klaar?’

Iris kijkt een beetje benauwd. Dit moet ook eng voor haar zijn, zonder blindenstok en allemaal vreemde mensen om zich heen. Wat nou als iemand per ongeluk op haar springt met een bommetje? Ze kan verdrinken als ik niet goed op haar let. Ineens besef ik waar ik aan begonnen ben.

‘Het is druk,’ zegt Iris als we onder de douche vandaan komen en naar het bad lopen. Ze blijft in een rechte lijn lopen en ik kijk naar haar voeten.

‘Waar ga je heen?’ vraag ik verbaasd.

Iris wijst op de vloer. ‘Ze hebben hier speciale tegels met ribbels. Dan voel ik waar ik heen moet.’

Die waren me nog nooit opgevallen. ‘Goed, zeg.’

Iris loopt tot aan het trappetje en draait zich om. ‘Daar ga ik dan.’

Ze zegt het meer tegen zichzelf dan tegen mij. Ik kijk hoe ze zich voorzichtig in het blauwe water laat zakken. Snel kom ik achter haar aan. Een paar mensen aan de kant kijken ons nieuwsgierig aan. Iris doet zo gewoon mogelijk, maar ze zien vast dat er iets met haar is. Misschien zien ze wel dat ze blind is. Ze vragen zich vast af wat ze in een zwembad doet. Ik krijg zin om tegen ze te schreeuwen dat ze niet zo moeten staren, maar dan zie ik Iris stralen. Ineens lijkt ze enorm op de Iris in mijn droom.

‘Dit is lang geleden.’ Iris laat zich voorzichtig op haar rug zakken en gaat met haar handen door het heldere water. Een paar jongens springen verderop van de duikplank.

Zie je nou wel, Iris kan dit best. We zwemmen heen en weer en laten ons zelfs meevoeren in de sterke stroming van het wildwaterbad. Ik let op Iris alsof ze een zeldzame schat is en doe net of ik de nieuwsgierige blikken van de mensen niet zie.

‘Durf je van de glijbaan?’ Ik probeer me voor te stellen hoe dat is als je blind bent. Zij ziet niet dat het een tunnelglijbaan is. Is het dan extra eng? Of juist niet?

‘Dan ga ik met je mee,’ dring ik dapper aan. Als Iris kan zwemmen, moet ik van die glijbaan durven.

Iris kijkt naar beneden en peutert aan de stof van haar

rode badpak, die mooi vloekt bij haar oranje haren.

'Eén keertje? Het hoeft niet, hoor.' Misschien is het niet slim. Straks landt er iemand bovenop haar, of raakt ze in paniek.

Iris schuift haar stoel naar achteren. 'Ik doe het gewoon.'

Bovenaan de glijbaan wachten we in de rij. Achter ons staat een jongen van een jaar of zestien met zijn zusje.

'Niet meteen achter ons aankomen, goed?' Ik kijk hem aan.

De jongen trekt een grijns. 'Bang ofzo?'

Ik kijk in de blauwe tunnel. Je kan er geen kant op. 'Eigenlijk wel ja.'

De jongen wil weer iets zeggen, maar zijn zusje houdt hem tegen. 'Laat ze toch. Jij moet altijd zieken.'

Ik kijk het meisje dankbaar aan en ga achter Iris in de glijbaan zitten. Het rode licht geeft aan dat we moeten wachten. Het lijkt wel een eeuwigheid te duren. Als het licht eindelijk op groen springt, zet ik af met mijn handen. Daar gaan we.

Het eerste stuk is nog redelijk rustig, maar dan komt het steile stuk. We gaan als een speer door de tunnel. Het is eng, maar ik krijg nauwelijks de tijd om na te denken, want voor me begint Iris te krijsen van opwinding. In een opwelling doe ik mijn ogen dicht. De wind suist om mijn oren. De bochten komen als een verrassing. Ik lijk sneller te gaan dan ooit en begin mee te krijsen. Met mijn ogen dicht is het enger. Veel enger. Je moet vertrouwen op de glijbaan, die je meeneemt, maar waarheen weet je niet. Je ziet niet waar het einde is. Ik hoef geen vaart te maken, alles gaat vanzelf.

Dan plonsen we ineens in het warme water. Ik ga kopje onder en kom proestend boven. Snel open ik mijn ogen, die prikken van het chloor. Iris staat vlak voor me. Ze ziet een beetje wit, maar ze lacht.

'Gaat het?' vraag ik.

Ze haalt haar neus op. 'Dit was geweldig.'

En dan zie ik ze. Mijn lichaam bevriest. Wat doen zij nou hier? Stijn staat aan de kant in zijn gekleurde zwembroek. Jen ligt al in het water.

Ik zwem naar de kant en trek mezelf omhoog. Weg hier. Voordat Jen of Stijn me ziet.

Ik verschuil me achter een van de pilaren bij de bar en zie hoe Stijn een aanloop neemt en naast Jen in het water plonst. Ze gilt en geeft hem een speelse duw. Volgens mij vallen haar verwondingen van het auto-ongeluk wel mee.

Waarom kan ik nooit aan haar ontsnappen? Zelfs in het weekend is ze er. Jen zet haar handen op Stijns schouders en duwt hem onder water. Hij spartelt niet eens tegen.

Stijn komt lachend boven. Zijn haren hangen in slierten langs zijn gezicht. Hij buigt zich naar voren. Zal hij haar ook onder water duwen? Jen kijkt hem uitdagend aan.

Dan drukt Stijn zijn lippen op die van haar. Het is een snelle kus. Zo snel dat ik niet eens weet of ik het wel goed heb gezien.

Ik ril in mijn natte badpak.

Als hun gezichten weer van elkaar af zijn kijkt Stijn haar ondeugend aan. Zo kon hij vroeger ook kijken.

Jens wangen kleuren. Haar borsten lijken nog groter door de kleine bikini.

Stijn wijst naar de glijbaan en hijst zich op de kant. Hij steekt zijn hand uit om Jen uit het water te helpen. Ze laten een spoor van water achter.

'Waar was je nou?' Iris ziet spierwit. Ze houdt zich vast aan de buis, die langs de randen van het bad loopt. Ik kan mezelf wel voor mijn kop slaan. Ik heb Iris achtergelaten op de plek waar de glijbaan op uit komt. Om de paar seconden plonzen er mensen in het water. Gevaarlijker kan niet. Iris weet niet eens waar ze heen moet. Het enige wat ze kon doen was zich vastklampen aan de rand.

Maar ik moest toch wat. Stel dat Jen en Stijn bij ons kwamen staan. Iris mag niet weten hoe Jen tegen mij doet. Zeker niet nu ik heb gelogen over hoe leuk ik het vind op school. Hoe had ik Iris voor moeten stellen aan Stijn?

'Dit is mijn beste vriend, alleen praten we nooit meer. Hij kust nu met het meisje dat mijn leven verpest.'

In gedachten zie ik hun gezichten weer voor me. Zo dicht bij elkaar.

'Sorry, ik dacht dat ik iemand zag.' Het is een slappe smoes en ik zie dat Iris me niet gelooft, maar het is het enige wat ik nu kan bedenken. Het voelt alsof mijn hoofd vol zit met gonzende vliegen.

'Ik ga naar huis.' Iris klimt uit het water en trekt haar badpak recht. Ook tijdens de terugrit in de bus komt de blije Iris niet meer terug.

Zeven

'Iedereen klaar?'

De juf trakteerde op ijsjes omdat het al de hele week tegen de dertig graden was. Iedereen zat al op zijn fiets.

'Kom je, Donna?' Stijn keek me vragend aan. Van een afstandje blikte Jen onze kant op.

'Ja.' De klas kwam al op gang, alleen Stijn en ik waren nog over. Mijn slot weigerde.

'Schiet op,' lachte Stijn. 'Anders smelt ons ijs.'

Eindelijk gaf mijn slot mee. Ik stapte op mijn fiets en voelde meteen dat er iets mis was. Mijn achterband was zo zacht dat hij helemaal op de grond stond. Lek.

Verbaasd keek ik naar mijn fiets. Ik had nog nooit een lekke band gehad.

'Wat is er?' Stijn keek me aan. Zijn fiets had geen bagagedrager waar ik op kon.

Tussen mijn spaken zat een briefje, dat ik toen pas zag. Ik herkende Jens handschrift meteen en verfrommelde haar nare woorden.

'Donna?'

'De trut,' zei ik zachtjes.

'Wat?'

Ik schudde mijn hoofd. 'Niks.'

In gedachten zag ik Jen grijnzend aan haar ijsje likken. Haar plannetje lukte. Stijn kwam in zijn eentje naar het winkelcentrum. Ze zou hem helemaal inpalmen met die grote ogen van haar. Dat kon ik toch niet laten gebeuren? Ik zou die trut laten zien dat ze me niet klein kon krijgen.

Ik keek naar Stijns fiets. 'Zou die stang me houden, denk je?'

Ik peuter aan de schors. Was het zo maar gegaan. Maar in het echt durfde ik Jen niet meer onder ogen te komen en uiteindelijk is Stijn alleen weggefietst. Het idee dat hij alleen was met Jen...

Zou hij haar nog hebben gezien vandaag? Hebben ze weer gezoend? Ik probeer het beeld van de kus steeds weg te drukken, maar het lukt me niet.

Stijn was altijd verlegen met meisjes, vooral op de basisschool. Bij *truth or dare* moest hij een keer Silvana zoenen, maar hij durfde niet. De hele klas lachte hem uit. Ik weet het nog heel goed. Het was voor het eerst dat ze niet om mij lachten.

Ik ga wat verzitten op de stam. Mijn billen beginnen pijn te doen. Hoe lang zit ik hier nu al? Mijn horloge geeft aan dat het halfvijf is, al bijna twee uur dus. Iris komt me niet meer opzoeken. Waarom zou ze? Ik heb haar weggestuurd uit mijn huis, haar meegenomen naar een gevaarlijke plek en haar achtergelaten. Natuurlijk komt ze niet terug. Ik zal altijd het meisje blijven dat alleen achterbleef op het schoolplein, met een lekke band en zonder ijsje.

'Hoe was het gisteren eigenlijk?' Mijn moeder neemt een hap van haar eten.

'Best.' Ik kijk al een kwartier naar de laatste aardappel op mijn bord.

'Vond Iris het ook leuk?'

'Ja, hoor.' Ik denk aan de blik in haar ogen toen we in de bus zaten. We hebben geen woord meer gezegd. Toen we eindelijk bij haar huis waren, liep ze zwijgend het pad op en liet mij achter bij het hekje. Ik wist niet eens of haar moeder al thuis was. Het idee van Iris alleen op haar kamer bleef me de hele avond bij. Ik kan me niet herinneren dat ik me ooit zo schuldig heb gevoeld.

'Misschien moet je haar nog eens uitnodigen?' Mijn

vader schept voor de tweede keer op. Een aardappel valt van de lepel en belandt op het tafelkleed.

'Hou nou eens op.' Ik begin kwaad te worden. 'Ik nodig helemaal niemand uit!'

Mijn vader maakt een sussend geluidje. 'Zo bedoel ik het niet. Het leek me gewoon gezellig voor je.'

Dat is niet waar. Ze hebben medelijden met me, ik zie het in hun ogen.

Simion kijkt zwijgend naar zijn bord. Zou hij er ook maar íets van begrijpen?

'En wat denk jij?' Ineens ben ik kwaad op alles en iedereen. 'Jij vindt mij zeker ook een triest geval?'

Simion kleurt, maar zegt nog altijd niets. Ik heb er genoeg van en schuif mijn stoel naar achteren.

'Ik ga slapen.'

Zwetend word ik wakker. Mijn droom staat nog helder op mijn netvlies. Weer droomde ik over Iris, maar dit keer was het een nachtmerrie. Iris was helemaal alleen in het grote bad. Het enige licht kwam van de glijbaan, een onheilspellend licht, waar plotseling geluiden klonken. Bonken en gegil. Er kwam iemand aan...

Ik wilde Iris waarschuwen, maar er kwam geen geluid uit mijn keel. Waarom zwom ze niet weg? Als ze bleef staan landde er iemand boven op haar! De bonken werden steeds harder. De persoon van de glijbaan was er bijna, maar ik kon alleen maar toekijken hoe Iris daar stond, met grote, angstige ogen.

Ik zucht diep. Beneden klinken de geluiden van het afruimen. Mijn ouders maken het restaurant klaar voor morgen, als er weer gasten komen. Hoe lang heb ik geslapen? Ik veeg een plakkerige haar uit mijn gezicht. Het dekbed stinkt.

Zou Iris al slapen? Ligt ze net als ik wakker? Ziet ze verschil met als ze haar ogen dichtheeft? Of is het voor haar gewoon altíjd veel te donker?

Ik sta op en kijk naar buiten, waar de boomtoppen zachtjes tegen de donkerblauwe lucht bewegen. De lichte stam van mijn boom geeft bijna licht. Kon ik daar maar slapen, denk ik bij mezelf. Hoog tussen de bladeren, waar ik meters ver kan kijken. Misschien houden die nachtmerries dan eindelijk op.

'*Donna?*'

Als ik me omdraai zie ik Simion staan. Hij heeft alleen zijn boxershort aan.

'Wat is er?' Ik schaam me voor mijn uitval tijdens het eten. Wat kan hij er nou aan doen dat mijn ouders zo doorzeurden?

'*Can I come in?*' Simion blijft in de deuropening staan en kijkt me vragend aan. Er is iets met hem. Hij is zo anders dan alle mensen die hier hebben gewerkt. Meestal waren die veel ouder. Met geen van hen heb ik ooit echt gepraat. Maar Simion weet meer dan wie dan ook. Over Iris. En natuurlijk over Jen en Stijn.

'*Yes.*' Ik ga op mijn bed zitten.

Ineens heb ik een jongen van achttien jaar in mijn slaapkamer. Simion gaat op mijn bureaustoel zitten en laat zien wat hij in zijn handen heeft. Een foto met een paar mensen erop.

'*My family. Now you know bit about me too.*'

Ik pak de foto aan. Een man met zwart haar en donkere ogen moet zijn vader zijn. Simion lijkt als twee druppels water op hem. De familie zit op een versleten bank in een gezellige woonkamer. Er staan nog twee meisjes bij, zusjes waarschijnlijk. Ik geef de foto terug en blijf zwijgen.

'*Sorry that I am here.*'

Het spijt hem dat hij hier is. Ik kijk Simion aan. Zijn donkere ogen staan ernstig. Ineens zie ik hoe knap hij eigenlijk is. Donker, mysterieus en vriendelijk tegelijk. Het litteken op zijn lip geeft hem iets bijzonders. Ik moet denken aan ons watergevecht in de keuken. Ergens ben ik mijn ouders dankbaar dat ze Simion hebben aangenomen. Zelfs midden in de nacht is hij er. En hoe. We zeggen een tijdje niets en opeens raak ik in de war. Hoe goed ken ik hem nou? Waarom vertrouw ik deze jongen, die niet eens mijn taal spreekt? Komt het doordat hij me aan mijn oude vriend doet denken? Ik kan hem tenslotte ook alles zeggen. Maar Simion is Stijn niet. Niemand kan Stijn vervangen. Nooit.

Simion staat op en loopt naar de deur. Heb ik hem nu ook al weggejaagd met mijn stomme gedrag?

Ik wil weer onder mijn dekbed kruipen, als Simion zich omdraait. De oude planken kraken onder zijn voeten.

'*Goodnight. You are not a* triest geval.'

Acht

In de pauze kijk ik vanaf mijn schuilplaats naar Jen en Stijn. Ze hebben de hele dag nog niet gezoend of aan elkaar gezeten, maar toch is er iets anders. Het beeld van de kus in het zwembad danst voor mijn ogen. Stijn zoende haar. Zomaar. Ineens. Zou hij verliefd op haar zijn? Vroeger plaagde ik hem weleens met meisjes, maar dan werd hij vaak boos. Ik dacht altijd dat hij nooit verliefd zou worden.

Stijn zei weleens: 'Als ik moet trouwen, dan trouw ik met jou.' Toen waren we tien. Natuurlijk was dat een geintje, maar op de een of andere manier zag ik het altijd voor me.

En nu zoende hij Jen in het zwembad. Hij haar. Niet andersom. En hoewel het een snelle zoen was kon ik er een heleboel aan aflezen. Het leek net alsof Stijn hier al maanden over dacht. Waarom heb ik het niet aan zien komen? Die zoen voelde als een stomp in mijn maag. Hoe kan hij haar zoenen? Háár?

Ik kijk nog een keer naar mijn oude vriend. Stijn is niet langer de kleinste van ons tweeën. Sinds de brugklas doet hij ineens heel anders tegen meisjes. Het enige wat niet is veranderd is zijn haar, dat nog altijd voor zijn ogen hangt. Net als bij Simion.

Mijn ouders moesten eens weten dat ik hem bijna elke nacht spreek op de gang. En dat hij vannacht zelfs in zijn boxershort op mijn bureaustoel zat. Waarschijnlijk zouden ze hem gelijk wegsturen.

Ik heb nog lang wakker gelegen toen hij de deur achter zich dichttrok. Eigenlijk lijkt hij niet op Stijn. Simion is ouder, serieuzer en stiller. Ook al kan hij ineens heel gek doen, zoals met die waterslang, hij kan ook rustig een halfuur naar je luisteren. Ik kan hem alles vertellen. Hij verstaat me toch niet.

Ik kijk verrast naar mijn moeder, die in de keuken op me zit te wachten.

'Moet je niet werken?'

Ze schudt haar hoofd. 'We kunnen samen theedrinken als je wil?'

Ik slinger mijn boekentas op de vloer en ga aan tafel zitten. Vanuit het restaurant hoor ik de stemmen van mijn vader en Simion.

'Hoe was je dag?'

'Gaat wel.' Ik neem een koekje uit de trommel.

'Ik wilde nog even sorry zeggen voor gisteren. We moeten niet zo aandringen met dat uitnodigen.'

Mijn moeder ziet er moe uit en haar haren zitten warrig.

'Dat geeft niet.'

Ze glimlacht en stopt ook een koekje in haar mond. Ineens moet ik aan de moeder van Iris denken. Zit die ook weleens met haar dochter aan de keukentafel? Of is die altijd aan het werk?

Ik ben nooit alleen. Altijd is er iemand thuis. Mijn vader, mijn moeder, of allebei. En nu heb ik ook nog Simion om me heen. Zelfs midden in de nacht.

Ik denk weer aan de nachtmerrie van het zwembad. Iris met die grote, bange ogen. Waar kwam dat toch vandaan? Ik voel me schuldig, ik had haar nooit alleen mogen laten. Misschien moet ik haar dat wel gaan zeggen.

Ik sta op en trek mijn jas aan. 'Mag Iris blijven eten?'

Mijn moeder kijkt me verbaasd aan. 'Ik zeg net...'

Ik lach. 'Weet ik, maar ik doe het niet voor jullie.'

Het huis van Iris ligt er stil bij. De gordijnen op de eerste verdieping zijn open, maar ik zie geen beweging. De grote rode auto van haar moeder staat voor de oprit. Ik druk de bel in, die door het huis galmt. Even later doet Iris open.

'Hallo?'

Natuurlijk. Ze ziet me niet.

'Sorry, ik ben het. Donna.'

'O.'

Het klinkt niet echt enthousiast. Ze lijkt weer even koel als een paar dagen geleden, toen ik haar tegenkwam op het zandpad.

'Mag ik binnenkomen?'

'Ja, hoor.' Iris houdt de deur open. 'Ik ben alleen wel huiswerk aan het maken.'

Ik loop achter haar aan naar de woonkamer en kijk om me heen. Een tegelvloer en strakke meubels, zonder planten of een boekenkast. Het ziet er net zo uit als de rest van het huis, koud en zakelijk. Iris is aan haar computer gaan zitten. Haar vingers schieten over een plankje dat ervoor ligt. Ik ga achter haar staan en kijk mee. Het gaat ontzettend snel.

'Wat doe je?' vraag ik nieuwsgierig.

'Lezen.'

Ik kijk naar het plankje met de puntjes. 'Is dat braille?'

'Ja.'

'Dat je dat kunt.' Ik hoor zelf hoe stom het klinkt.

'Jij kan toch ook lezen!' Iris blijft met haar rug naar me toe zitten.

Misschien is dit geen goed idee. Iris heeft het druk en duidelijk geen zin in mij. Ze heeft gelijk. Wat ik heb gedaan is veel te erg en valt niet meer goed te maken.

'Nou, ik ga maar.' Ik wil naar de deur lopen als ik ineens haar stem hoor.

'Wacht.' Ze draait zich om. Haar zwarte zonnebril kijkt me aan. 'Wat kwam je eigenlijk doen?'

Ik haal diep adem. 'Ik had je nooit mee mogen nemen naar het zwembad. Het spijt me.'

'Waarom spijt je dat?'

'Het was veel te gevaarlijk.'

'Dat vond ik nou juist zo leuk.' Iris glimlacht. 'Je behandelt me tenminste niet als een gehandicapte.'

Ik zie de vrouw in het zwembad weer nerveus naar Iris kijken. Net als de mensen op straat. Soms lijkt Iris wel een dier in de dierentuin. Iedereen vraagt zich af of het wel *verstandig* is. Altijd en eeuwig maar mensen om je heen die denken dat je van suiker bent. Ik snap ineens wat ze bedoelt.

Ik haal diep adem. 'Ik wilde vragen of je zin had om te komen eten.'

Iris twijfelt.

'Goed, maar dan vraag ik mama eerst even. Ze is boven.'

Als we even later het bos in lopen, zwaait Iris met haar stok heen en weer. Met een boog loopt ze om de losliggende boomwortel heen. Die heeft ze dus onthouden. Als ik opzij kijk zie ik dat ze glimlacht. Ik krijg zin om te huppelen.

'Eén pannenkoek appel en kaneel.' Mijn moeder zet het bord voor Iris neer. We zitten in het restaurant, want het is altijd rustig op maandag.

Mijn moeder kijkt mij glimlachend aan. 'Willen de dames nog wat drinken?'

'Water alstublieft,' zegt Iris, terwijl ze de lucht van haar pannenkoek opsnuift. Ze heeft haar bril gelukkig afgezet en haar groene ogen glinsteren.

'En?' vraag ik.

'Hij ruikt goed. Wat heb jij?'

'Hetzelfde. Het is mama's specialiteit, hè.'

Iris rolt de pannenkoek voorzichtig op met haar handen. Ze tast naar haar mes en vork en begint de pannenkoek in stukjes te snijden. Hoe doet ze dat toch? Ik probeer met mijn ogen dicht mijn bestek te vinden. Mijn mes valt op de grond.

'Wat doe je nou?'

Ik voel dat ik rood word. 'Niks.'

Iris grijnst. 'Het is niet makkelijk, hoor. Blind zijn.'

Ik ben blij dat ze mijn wangen niet kan zien. 'Dat denk ik ook niet.'

'Er zijn anders genoeg mensen die vinden dat ik me aanstel.'

'Echt?' Ik kijk hoe Iris een hap neemt.

'Ach, je kent het wel. Pesters heb je overal.'

Zie je wel. Er was wel iets aan de hand toen ze zo koel klonk. En vorige week ook.

'Word je gepest op school?' vraag ik, terwijl ik een slok water neem.

'Nee, daar is iedereen blind.' Iris neemt nog een hap. 'Maar vroeger wel. Dan gebaarden ze dingen die ik niet kon zien. Meestal werd de juf heel kwaad.'

Ik denk aan mijn eigen basisschool. Had mijn juf maar wat gedaan. Die deed net alsof haar neus bloedde en heeft Jen nooit aangepakt. Anders was het misschien heel anders gelopen.

'En nu zijn het vooral mensen uit de buurt. Die vervelen zich waarschijnlijk.'

'Wat doen ze dan?' vraag ik voorzichtig.

'Dingen roepen. Mijn stok afpakken. Zulke dingen.' Ik kijk naar Iris, die stoer haar schouders ophaalt.

'Word je dan kwaad?' Ik probeer me een vechtende Iris voor te stellen.

'Meestal helpt iemand me voordat ik iets kan doen.' Iris prikt het laatste stukje pannenkoek aan haar vork. 'Anders zou ik het ook niet weten. Vorige week heeft een jongen nog voor me gevochten. Hij heeft dat meisje een paar klappen verkocht. Ze ging er snel vandoor.'

Ik grinnik. 'Goed zo.'

Iris knikt. 'Dat meisje is het ergst van allemaal. Ze duwt me vaak omver als ik langsloop.'

Hoe kan iemand zoiets doen? Ik word er bijna misselijk van.

'Geen medelijden met me hebben, hoor. Daar heb ik een hekel aan.' Iris lacht. 'Zoveel kinderen worden weleens gepest.'

Ik denk aan vroeger. *Zoveel kinderen worden weleens gepest.* Waarom moest de klas altijd mij hebben? Herinneringen schieten als een film in mijn hoofd voorbij. Ze hebben me gek proberen te maken, vooral Jen. En het is haar nog gelukt ook. Ik heb nooit iets teruggedaan, of gezegd. Het enige wat ik deed was mijn mond houden. En nu kust Stijn met Jen. Had hij dat ook gedaan als ik eerder voor mezelf was opgekomen? Waarschijnlijk niet.

De hitte breekt me uit. Ik neem snel een slok van mijn water, maar mijn hart begint alweer sneller te kloppen.

'Donna?' Iris kijkt me vragend aan. In haar ogen zie ik dat ze iets doorheeft. 'Gaat het?'

Ik heb nooit een vriendin gehad. Stijn was de enige die met me wilde spelen op de basisschool. En nu zit ik hier tegenover Iris. Ik moet eerlijk tegen haar zijn, dat is zij tenslotte ook. Maar ik kan het niet. Het is veel te veel. Ik wil niet de Donna van vroeger zijn. Die is zielig en alleen.

Ik haal diep adem. 'Wil je nog een pannenkoek?'

Iris rijdt heen en weer op mijn bureaustoel. De wieltjes schuren over mijn houten vloer. We hebben het niet meer over het pesten gehad. Ik was snel over iets anders begonnen en het onderwerp leek vergeten. Toch heb ik al de hele avond een hol gevoel in mijn maag.

‘Hoe ziet je kamer er eigenlijk uit?’ Iris kijkt om zich heen.

Ik haal mijn schouders op. ‘Gewoon een kamer. Bureau, kast, bed, posters, prikbord met foto’s.’

‘Wat voor foto’s?’

Boven mijn bureau hangt mijn prikbord, vol oude herinneringen. Waarom heb ik die eigenlijk nooit weggehaald? Misschien wordt het tijd ze doormidden te scheuren.

‘Van vroeger. Toen ik nog op de basisschool zat.’

Iris voelt en pakt de oude klassenfoto van het bord. ‘En deze?’

‘Van groep acht.’

‘Had je veel vrienden?’

Eentje. En die bleek geen vriend.

‘Best wel.’

‘Je zegt er niet zo veel over, hè?’

Zie je wel. Iris heeft alles door.

‘Ik kan er niet zo veel over zeggen. Ik heb een saai leven.’

Iris lacht. Het galmt tussen mijn vier muren. ‘Ik geloof er niks van.’

Ze moest eens weten. Maar ik kan haar niet vertellen over Stijn. Dan weet ze meteen dat ik alleen stoer ben in mijn fantasie. En wat moet Iris daar nou mee?

Ik haal de foto uit haar handen en prik hem terug op het bord. De punaise zit vlak boven Stijns hoofd.

Negen

'Donna!' Stijn haalt me in op weg naar school. Ik kijk hem verbaasd aan. Wat doet hij hier in zijn eentje? Waarom is Jen niet bij hem? Even heb ik de hoop dat ze ruzie hebben, maar dan weet ik het weer: het is dinsdag, dan is Stijn ook altijd vroeg.

'Mag ik revanche nemen bij gym straks?'

Ik haal mijn schouders op. 'Als je denkt dat het je lukt.'

Ik voel me zenuwachtig. De beelden van Jen en Stijn dansen op mijn netvlies, als een irritante reclame tussen twee helften van een spannende film. Er is zo veel gebeurd de afgelopen dagen. En nu praat Stijn alsof hij nooit met Jen heeft gezoend.

Stijn lacht. 'Maak je maar geen zorgen.'

De vragen branden op mijn lippen. Ben je verliefd op Jen? Hebben jullie iets? Maar ik durf het niet. Ik ben bang voor zijn antwoord.

'Hoe gaat het eigenlijk met jullie buitenlander?' Stijn pakt een takje op en slingert het weg.

Jullie buitenlander. 'Goed. Hij leert heel snel.'

'Kan hij al een beetje Nederlands?'

'Niet echt.'

'Gezellig dan.' Stijn snuift.

Ik denk aan de avond dat Simion op mijn kamer was en zijn familiefoto liet zien. Dat hij zei dat hij mij geen *triest geval* vond. En in de keuken, als ik tegen hem praat en hij luistert. Drie maanden lijken ineens te kort.

'Hij is anders heel aardig.'

Stijn haalt zijn schouders op. 'Ik zie hem wel als we op kamp gaan.'

Natuurlijk. Kamp. Ik was het helemaal vergeten. De hele klas komt over de vloer. Iedereen zal Simion te zien krijgen. Ik voel me onrustig. Waar komt dat vandaan? Wil ik Simion voor mezelf houden? Of is het iets anders?

Na de gymles houdt Jen mij tegen in de kleedkamer. Ze heeft een rood hoofd van de inspanning. Haar team heeft glansrijk verloren van het team van Stijn en mij. Jens ogen schoten vuur toen Stijn scoorde en mij de high-five gaf.

'Jij was zeker ook weer vroeg vanochtend?' Jen kijkt me aan.

'Ja.'

'Kwam je Stijn nog tegen?'

'Ja.' Ik probeer zo stoer mogelijk te klinken, maar mijn hele lichaam trilt.

'Stijn en ik zijn samen, wist je dat?'

Ik kijk naar haar blauwe ogen. *Stijn en ik zijn samen.* Nu ik het haar zo hoor zeggen, is het ineens pijnlijk echt.

'Ja.'

Jen glimlacht en pakt haar handdoek van het haakje. 'Mooi.'

Tussen de planken van de fietsenstalling door zie ik Jen overdreven tegen Stijn aanleunen. Sinds de gymles is ze niet meer van hem weg te slaan. In de kleedkamer bleef ze naar me staren, wat me kippenvel bezorgde. Waar is ze bang voor? Goed, tijdens gym had ik voor het eerst sinds tijden het gevoel dat er nog hoop was. Donna en Stijn, het bestond weer. Ook al was het maar voor twee lesuren. Maar uiteindelijk, aan het einde van de dag, kiest hij altijd voor haar. Hij liep alleen met mij naar school omdat ik ook vroeg was. En hij maakte opdrachten met mij omdat zij te laat kwam. Dus waar maakt Jen zich druk om?

'Hé klefbekken.' Sara geeft haar vriendin een duw. 'Doe dat even ergens anders.'

Stijn grijnst. Hij pakt Jens hand en loopt naar de andere kant van het schoolplein. Ze komen mijn kant uit. Waarschijnlijk gaan ze op een bagagedrager zitten zoenen. Op die manier zit ik op de eerste rang. Ik knijp mijn ogen vast dicht.

'Ik ga hier echt niet in, hoor.' Ik hoor de stem van Jen. 'Het is hier hartstikke krap.'

'Anders blijft Sara zeuren.' Stijn lacht. 'Hier kan echt niemand ons zien.'

Ik hoor gerommel. Wat klinkt het dichtbij. Er zitten toch nog planken tussen ons in? Maar als ik mijn ogen open kijk ik in de verbaasde gezichten van Stijn en Jen.

Hoe kan dit? Ik ben toch de enige die van dit plekje af weet? Zoenende stelletjes heb ik hier nooit gezien. Zelfs geen bovenbouwer die stiekem wilde roken. Maar nu staan Jen en Stijn vlak voor me, tussen de spaanplaten en de fietsenstalling in.

Ik sta langzaam op en voel mijn knieën steken. De hele pauze heb ik nauwelijks bewogen.

'Wat doet *zíj* hier?!' Jen blijft me verbijsterd aankijken.

Hoe red ik me hieruit? Wat ik ook zeg, het zal op hetzelfde neerkomen. Ik bespioneer mijn hele school. En vooral Jen en Stijn. Al maanden. Zelfs voordat ze samen naar school liepen. Dag in dag uit. Aan Jens gezicht te zien heeft ze het door.

'Jij...'

'Wacht even.' Stijn houdt Jen tegen.

Klasgenoten komen nieuwsgierig dichterbij en Sara tuurt tussen de planken door. 'Donna? Zit die meid ons nou te begluren?'

Een paar jongens roepen iets wat ik niet kan verstaan.

Jen kijkt Stijn aan. 'Ga je het soms weer voor haar opnemen? Dit kind is gestoord. Wie weet hoe vaak ze hier zit? Ik zie haar nooit in de pauzes, jij wel?'

Stijn schudt zijn hoofd.

Jen doet een stap naar voren. 'Je bent gek, weet je dat? Hartstikke gek.'

Ik kan geen kant op. Wegrennen lukt niet en heeft geen zin. Nu heeft iedereen mijn geheim ontdekt. Weten zij veel dat ik hier alleen maar zit omdat ik bang ben. Ik ben bang om tussen hun in te staan, bang om weer een prooi te worden. Wat kan ik zeggen? Ze zullen me nooit geloven.

'Ga je nog wat zeggen?' Jen schreeuwt het uit.

Mijn handen zweten. Ik kan geen kant op. Letterlijk en figuurlijk. Jen dwingt me naar achteren tot ik de spaanplaten in mijn rug voel. Tranen prikken in mijn ogen.

'Vind je het zó leuk om ons te begluren?' Jen draait zich om en zoent Stijn op zijn mond. 'Hier. Je hebt waar je voor kwam. En nou opdonderen.'

Ik wurm me langs Jen en Stijn heen. Het hele schoolplein kijkt me aan als ik uit mijn schuilplaats kom. Ik negeer hun blikken en ren het plein af, regelrecht naar mijn boom.

Als ik na een uur de keuken in loop, zit Simion aan de keukentafel. Hij kijkt me geschrokken aan.

'*Donna? You okay?*' Als hij voor me staat legt hij zijn handen op mijn schouders. Ze gloeien door de stof van mijn shirt heen. Zijn ogen staan ernstig.

'Het gaat wel.'

'*What's wrong?*'

Wat is er gebeurd? Ik weet het niet eens meer. Ineens waren Jen en Stijn er.

'Ik heb het niet zo bedoeld,' zeg ik zachtjes. 'Echt niet.'

'*Easy. Easy. It's okay. Don't worry.*'

'Nee, het is niet oké. Straks vertelt Jen het aan een leraar. Wat nou als de school straks mijn moeder belt?

Wat moet ik dan zeggen?' Mijn hart klopt nog steeds als een razende en dat heeft niks te maken met het rennen. Ik was bang. Net zo bang als twee jaar geleden. Jen voor me, en de spaanplaten in mijn rug. Ik kon geen kant op. Ik was bang, bang om opnieuw opgesloten te worden.

In de spiegel boven de eettafel zie ik mijn spiegelbeeld. Ik ben lijkbleek. Als mijn moeder me zo ziet, heeft ze meteen door dat er iets aan de hand is.

'Beloof je dat je niks zegt?' Simion verstaat me natuurlijk niet, maar ik moet het hem zeggen. '*Nothing happened. Okay?* Er is helemaal niks.'

Ik zoek naar woorden, maar mijn Engels laat het niet toe. Ik weet helemaal niks meer. Gelukkig knikt Simion. Heeft hij het begrepen?

Op dat moment gaat de deur naar het restaurant open en komt mijn moeder de keuken in.

'Wat is hier aan de hand?' Ze kijkt naar mijn behuilde ogen en dan naar Simion. Haar blik is donker.

'Mam, het is niks. Simion probeerde me te troosten.'

Mijn moeder kijkt me aan. 'Wat is er dan? Moet jij niet op school zijn?'

'Ik ben gevallen,' verzin ik snel.

'Waar heb je pijn?' Mijn moeder negeert Simion en trekt een stoel dichterbij.

Ik wijs op mijn knie. Ze wil mijn broek opstropen, maar ik trek mijn been snel terug. 'Het valt wel mee.'

Mijn moeder draait zich naar Simion toe. '*Can you give us a minute, please?*'

Simion knikt en verdwijnt snel het restaurant in. Mijn moeder richt zich weer op mij. Ik probeer haar ogen te ontwijken, uit angst dat ik nog meer ga blozen.

'Lieverd, is er iets gebeurd met Simion?'

Ik schud heftig mijn hoofd. Dit mag ze niet denken. Zeker niet nu hij voor mij zijn mond gehouden heeft. 'Nee, echt niet.'

'Misschien is het wel een beetje veel voor je, zo'n vreemde jongen in huis.'

'Dat is het niet, mam. Echt niet.'

'Wat is het dan?'

Even wil ik haar alles vertellen. Bij haar wegkruipen, net als ik vroeger deed als ik bang was in het donker. Maar waar moet ik beginnen? Ik heb te lang mijn mond gehouden tegen haar. De berg met waarheden is nu veel te hoog.

'Ik ben gevallen,' zeg ik nog een keer. 'En ik maak me zorgen om kamp.'

Mijn moeder kijkt me vragend aan. 'Je hoeft je geen zorgen te maken over de kamers. Papa heeft ze helemaal opgeknapt. Je hoeft je nergens voor te schamen.'

Nu denkt ze ook nog dat ik het niet wil vanwege hen.

'Ik ga terug naar school, mam. Anders mis ik veel te veel.'

Bij de deur kijk ik om. Mijn moeder glimlacht naar me, waardoor ik me nog veel schuldiger voel.

'Dus je ouders hebben een pannenkoekenrestaurant gekocht?' Jen kwam naast me zitten in de hoek van de klas. Daar had de juf een grote zitzak neergelegd en mocht je elke dag een uurtje lezen. Het was mijn lievelingsplek op school. Tot Jen er ineens bij kwam zitten.

'Ja.'

'Leuk.' Jen pakte het boek uit mijn handen. Waarom liet ze me niet met rust? Ik viel toch niemand lastig? Ik zat daar alleen maar te lezen.

'Ik vind het gemeen, dat ze je zo pesten.'

Als ik Jens lippen niet had zien bewegen, had ik gedacht dat ik droomde. Waarom zei ze dit? Zij deed tenslotte maar al te graag mee.

Het was alsof Jen mijn gedachte raadde. 'Het spijt me dat ik zo tegen je heb gedaan. Dat ik je liet vallen bij gym ging echt per ongeluk.'

Bij gym. Alsof dat de enige keer was!

'Vrienden?' Jen stak haar hand uit. Om haar pink droeg ze een klein ringetje. Wat wilde ik haar graag geloven. Maar ik wist dat Jen dit nooit kon menen. Ze had vast een of ander plan bedacht om me te grazen te nemen.

Ik negeerde haar hand en pakte mijn boek terug. 'Wat denk je zelf?'

De hele middag blijf ik boven in mijn boom zitten. Mijn huiswerk ligt ongeopend op mijn schoot en ik staar naar de zandweg onder me.

In het echt heb ik Jens hand geschud. Mijn hoop dat ze écht vrienden wilde zijn was groter dan mijn verstand. Hoe kon ik zo naïef zijn? Alsof Jen ooit op zou houden met pesten. Waarschijnlijk is ze op dit moment het verhaal van de pauze lekker aan het aandikken. Net zolang tot het zal lijken alsof ik geobsedeerd ben door haar en Stijn. Hoe kan ik ooit nog terug naar school? En hoe moet dat met kamp? Iedereen zal me uitkotsen.

Het is bijna half vier. Nog even en ik kan terug naar huis. Mijn benen beginnen gevoelloos te worden door de harde stam. Misschien moet ik hier een kussen neerleggen. Wie weet hoe lang ik hier de volgende keer zit. Nog even en dit is mijn tweede huis. Zeker nu ik de plek op het schoolplein niet meer heb.

Vijf minuten later zie ik Jen, Sara en Stijn aankomen. Met bonkend hart ga ik wat verzitten. Ik wil toch graag weten wat ze te zeggen hebben over vanmiddag.

Stijn gebaart heftig met zijn handen. 'Ik kan gewoon niet geloven dat ze daar al die pauzes heeft gezeten. Zoiets doe je toch niet?'

Jen pakt zijn hand. 'Je hebt gelijk. Het is heel vreemd.'

Ze geniet hiervan. Eindelijk heeft ze Stijn waar ze hem hebben wil, aan haar kant.

‘Ik ken haar al sinds mijn geboorte,’ zegt Stijn. ‘Maar hier snap ik niets van.’

‘Jij bent toch ook veranderd,’ gaat Jen door. ‘Misschien is zij dat ook wel.’

Ik zou nu eigenlijk naar beneden moeten springen. Roepen dat ze het helemaal verkeerd hebben. Ik kan Stijn dit toch niet laten geloven? Maar wat zullen ze wel niet denken als ik ineens uit de boom klim? Iris heeft gelijk. Ik bespioneer mensen. Niet omdat ik het spannend vind, maar omdat ik bang voor ze ben.

‘Denk je niet dat Jen gelijk heeft?’ Sara kijkt Stijn aan. ‘Dat Donna misschien veranderd is?’

Ik hou mijn adem in en kijk naar mijn vroegere vriend, die nog steeds Jens hand vasthoudt.

‘Ik denk het.’

Tien

‘Jou moest ik hebben.’ Jen komt naast me staan bij de spiegels in de wc. Ik wilde net mijn handen wassen.

Via de spiegel kijkt ze me onderzoekend aan. Haar boze blik van vanochtend heeft plaatsgemaakt voor iets anders. Nieuwsgierigheid?

De hele dag merk ik dat mensen over me praten. Sara heeft me zelfs expres laten struikelen in de gang. Jongens uit mijn klas maken gebaren en lachen.

‘Wat is er?’ Ik probeer Jens ogen te ontwijken, maar ze lijken me op te slokken. Haar blik is zo strak dat ik moet blijven kijken, of ik wil of niet.

‘Ik vroeg me wat af.’ Jen houdt haar hoofd een beetje schuin. Zelfs in het nare tl-licht van de wc’s is ze mooi. Ze kan met één blik een leraar om haar vinger winden. Ze krijgt nooit straf.

‘Waarom zat je daar? Het enige wat ik kan bedenken, is dat je graag naar andere mensen kijkt. Vooral naar mij en Stijn. Je hebt echt een soort obsessie voor die jongen, hè?’

‘Mag ik erlangs?’ Ik wil hier weg. Terug naar de klas, die ineens veilig lijkt. Alles beter dan hier blijven, alleen met Jen.

‘Stijn zegt dat je moeder hele lekkere pannenkoeken maakt.’

Daar doet ze het weer. Ineens vriendelijk zijn om je op het verkeerde been te zetten.

‘Dat zal dan wel.’

‘Denk je dat ze er volgende week eentje voor mij wil maken?’

Laat me met rust. Waar is de Donna uit mijn fantasie?

Natuurlijk maakt mijn moeder geen pannenkoek voor jou! En áls ze het doet spuugt ze zes keer in het beslag.

'Misschien.'

Jen doet de deur naar de gang open. 'Nou, ik zie je in de les.'

Als de laatste bel eindelijk gaat ren ik naar buiten. Net op tijd ontsnapt aan de klauwen van mijn klasgenoten, zo voelt het. Hijgend kom ik aan op het zandpad. Onderaan mijn boom staat Iris.

'Hé.'

Iris kijkt om. 'Donna?'

'Wat doe jij hier?' Ik ben opgelucht dat ik haar zie. Eindelijk iemand die niks weet van mijn actie op het schoolplein. Iemand die mij niet zal uitschelden of laten struikelen.

'Ik kwam vragen of je vanavond meegaat uit eten. Mama wilde je weleens ontmoeten.'

'Leuk.'

Iris staat op haar voeten te wiebelen. Haar donkere zonnebril schittert in het zonlicht. 'Kom je van school?'

'Ja.'

'Was het leuk?'

School is al sinds mijn zesde niet leuk meer. 'Ja, hoor.'

In de verte hoor ik stemmen. Ik denk aan Jen en Sara. Als ik niet snel ben, kom ik hen hier straks weer tegen. En wat moet ik dan tegen Iris zeggen?

'Stijn, wacht op mij!' Daar heb je Jen al. Ik kijk naar mijn huis. Dat haal ik niet meer. Zeker niet met Iris, die is niet zo snel.

'Wil je mee de boom in?' Het is eruit voor ik er erg in heb. Ik wil dit helemaal niet. Die boom is van mij. Niemand weet ervan. En nu vraag ik Iris mee? Maar het is de enige oplossing.

Iris knikt gretig en zet haar voet op een grote knoest. Ze trekt zichzelf omhoog. Ik geef haar aanwijzingen en kijk intussen achterom. Jen en Stijn kunnen niet ver meer zijn. Nog even en ze komen de bocht om. Iris is snel boven. Ik kan mijn ogen niet geloven. Hoe weet ze nou hoe ze moet klimmen? Ik ben in twee tellen bij haar. Samen zitten we op de hoge tak en ik kijk naar het zandpad onder me.

'Volgens mij is het wel hoog,' zegt Iris. 'Gelukkig kan ik geen hoogtevrees hebben.'

'Dat is wel een voordeel.' Mijn buik maakt nog steeds salto's als ik naar beneden kijk.

'Ben je weleens helemaal bovenin geweest?' vraagt Iris. Gelukkig heeft ze niet door hoe nerveus ik ben.

'Nog niet.' Ik probeer niet te hard te praten.

'Waarom niet?'

'Te hoog.'

Beneden lopen Stijn, Sara en Jen langs.

'Echt, ze is geobsedeerd door je. Ik weet zeker dat ze daarom zo naar ons gluurt.' Jen doet er nog een schepje bovenop. Met mijn ogen dicht wacht ik tot ze mijn naam gaat noemen.

'Hou toch op.' Stijn klinkt chagrijnig. 'Laten we het over iets anders hebben.'

Jen geeft hem een hand. 'Graag.'

Ik kijk opzij naar Iris, die plotseling een beetje bleek ziet. De sproeten in haar gezicht steken fel af tegen haar witte wangen.

'Wat is er?' vraag ik zachtjes, als het drietal uit het zicht is.

Iris schudt haar hoofd. 'Niks.'

'Doe niet zo gek, ik zie het toch.'

'Dat was het meisje,' zegt Iris zachtjes. 'Dat mij altijd pest. Ze zijn volgens mij met z'n drieën. In het zwembad heb ik ze ook gehoord.'

Het is druk in de pizzeria. Iris, haar moeder en ik zitten aan een tafeltje bij het raam, dat uitkijkt op het winkelcentrum.

Ik probeer me te concentreren op het gesprek, maar de woorden van Iris gonzen door mijn hoofd.

Ik had het kunnen weten. Het is typisch Jen om een blind meisje te pesten. Wat moet Iris bang zijn geweest in het zwembad. Ze hoorde haar pesters op nog geen vijftig meter afstand.

'Gezellig dat je mee bent.' Iris' moeder kijkt me vriendelijk aan. 'Iris is best vaak alleen.'

Ik kijk naar Iris, die al de hele avond stilletjes is. Denkt zij ook aan Jen? En wat bedoelde ze met: *ze zijn met z'n drieën*? Pest Stijn haar ook?

Ik schaam me dood dat hij ooit mijn beste vriend is geweest. Iris doet geen vlieg kwaad. Die ga je toch niet lastig vallen? Dit is nog veel erger dan dat eeuwige gestaar van de mensen in de stad.

Dan moet ik ineens denken aan wat ze me laatst vertelde. Over die jongen die haar had geholpen toen ze gepest werd. Een meisje werd tegen de vlakte geslagen. Ging dat soms ook over Jen? Ineens zie ik haar weer het schoolplein opkomen, veel te laat en met een bloedende lip. Ik schrik van het idee, maar ik weet zeker dat het waar is: dat was dus helemaal geen auto-ongeluk.

'Willen jullie alvast wat drinken?' Iris' moeder kijkt ons vragend aan.

'Een cola graag.' Ik probeer mijn gedachten uit te zetten. Er is nu toch niks wat ik kan doen. Als ik Iris vertel dat ik dit drietal ken, verandert er niks. Het zal haar alleen maar meer van streek maken.

De ober legt de menukaarten voor ons neer. Hij blikt even naar Iris, maar loopt dan snel door.

'Dat ziet er allemaal heerlijk uit, zeg.' Iris' moeder bekijkt de kaart.

‘Zal ik voorlezen wat er staat?’ Iris heeft haar menukaart nog steeds ongeopend voor zich liggen.

‘Doe maar.’ Iris’ moeder knikt. ‘Een menukaart in braille bestaat helaas nog niet.’

Ik wil beginnen met de pizza-lijst, maar Iris onderbreekt me.

‘Doe maar gewoon een pizza margherita.’

Iris’ moeder kijkt haar aan. ‘Weet je het zeker? Donna wil best even lezen, hoor.’

‘Donna heeft wel wat beters te doen.’ Iris slaat haar armen over elkaar.

Iris’ moeder negeert het snauwen van haar dochter en kijkt naar mij. ‘Jullie zijn laatst ook wezen zwemmen, hoorde ik?’

‘We hebben zelfs in een boom gezeten,’ lach ik. ‘Iris kan nog beter klimmen dan ik.’

Het gezicht van Iris’ moeder betrekt. ‘Bomen klimmen?’

Iris zucht. ‘Mam, niet zo paniekerig doen.’

‘Sorry.’ Iris’ moeder gaat wat rechter zitten. ‘Mijn dochter moet nog leren wat ze wel en niet kan.’

‘Wat bedoel je daar nou weer mee?’ Iris’ ogen schieten vuur. Dit is deels nog boosheid om Jen, voel ik, maar dat kan haar moeder niet weten.

‘Je kan niet zomaar in bomen klimmen, lieverd.’

‘Donna was erbij!’ Iris wordt steeds bozer. De mensen in het restaurant kijken ons verbaasd aan.

‘Daar gaat het niet om. Sommige dingen zijn gevaarlijk. Weet je nog toen je wilde fietsen? Je reed zo tegen een paal op.’

Iris’ ogen worden vochtig. Ik kan het niet aanzien. Intussen kijkt het hele restaurant onze kant op, alsof we een toneelvoorstelling zijn. Ik heb de neiging om van tafel te rennen, maar ik kan Iris niet achterlaten.

‘Ze deed echt voorzichtig,’ neem ik het voor haar op. ‘Anders had ik het nooit toegestaan.’

Iris' moeder glimlacht naar me. 'Jij kan er niks aan doen, maar Iris is blind. En ik snap dat je haar mee wilt nemen, maar ze kan niet alles zomaar doen. Dat zeg ik haar al veertien jaar.'

Ik kijk naar Iris, die op haar lip bijt. Achter me hoor ik mensen fluisteren. 'Dat klimmen ging heel goed,' probeer ik de situatie te redden. 'Echt.'

'Ik wil het niet meer hebben, Iris,' zegt haar moeder. 'Beloof je dat?'

Ik kijk naar Iris' ogen, die zwemmen in haar tranen. Haar mooie groene ogen, waar ze niks mee ziet. Haar haren hangen half in haar gezicht. De mensen uit het restaurant kijken weer naar hun borden.

'Ik beloof het.'

Met een diepe zucht trek ik de voordeur achter me dicht en loop naar boven. Het is al tegen elven en ik ben doodmoe. De hele avond bleef er een vreemde spanning hangen. Iris' moeder probeerde het nog wel goed te maken, maar Iris bleef stil. Ze weigerde zelfs een toetje te bestellen. Mijn hoofd was bovendien vol van Jen en Stijn.

In mijn kamer knip ik het licht aan en ik laat me zuchtend op het bed vallen. In de gang klinken voetstappen en even later komt Simion langs mijn kamer. '*How was dinner?*'

'Niet zo leuk,' zeg ik tegen het plafond. 'Iris' moeder is erg bezorgd.'

'*Bezorgd?*'

'Ja.' Ik haal diep adem en kom overeind. 'En Stijn is nog verder heen dan ik dacht.'

Simion stapt mijn kamer in en gaat op de bureaustoel zitten. Het ding staat veel te laag voor zijn lange benen.

'En ik schaam me voor hem. Dat hij ooit mijn vriend is geweest. Snap je dat?'

Simion knikt braaf.
'Ik wil dat Stijn eindelijk inziet wat voor een trut Jen is.'
'*Trút?*'
Ik schrik van Simions harde stem, maar dan moet ik lachen om zijn uitspraak. Hij spuugt het woord bijna uit.
'Ja. Trut.'

Elf

Ik klop drie keer op Iris' deur voordat ik antwoord krijg. Als ik binnenkom ligt ze op bed. Ze heeft een boek in haar handen en haar vingers schieten over de regels.

'Wat lees je?' vraag ik nieuwsgierig.

'Iets saais.' Iris klapt het boek met een zucht dicht. 'Maar het is tenminste niet gevaarlijk.'

Ik pak het boek van haar aan. Mijn vingers glijden over de puntjes. Hoe voel je hier letters in? Voor mij lijken ze allemaal hetzelfde.

'Als je braille wil leren, heb je wel even nodig.'

'Dat geloof ik best.' Ik leg het boek weg. 'Maar daar kom ik niet voor.'

Ik heb drie dagen nagedacht hoe ik Iris kan opvrolijken. Het mag niks gevaarlijks zijn, anders raakt haar moeder in paniek. Uiteindelijk kwam Simion met het idee. Hopelijk leidt het Iris een beetje af. En mij ook, want na dit weekend staat mijn hele klas op de stoep.

'Wat dan?' Iris klinkt nieuwsgierig.

'Winkelen.'

Iris trekt een gek gezicht. 'Waarom?'

Ik haal mijn schouders op. 'Omdat het leuk is.'

Even denk ik dat ze geen zin heeft, maar dan pakt ze haar stok uit de hoek van de kamer en vouwt hem uit.

Het is druk in het winkelcentrum. Hele gezinnen drommen zich een weg naar de roltrap, die helemaal tot bovenin gaat. Ik help Iris de eerste tree op.

'Waar gaan we als eerste heen?' Iris draait haar hoofd van links naar rechts.

'Wat jij wil.' Ik ben allang blij dat ik niet thuis hoef te zitten, met mijn kop vol problemen.

'Ik kan wel een nieuwe broek gebruiken.' Iris kijkt me aan. 'Waar moeten we dan heen?'

'Kom maar.' Ik haak mijn arm door die van haar en samen lopen we naar een grote spijkerbroekenwinkel. Iris heeft haar stok opgeborgen en haar bril opgezet. Nu lijkt ze net een bekende filmster. De winkel is lekker licht en ruim. Ik haal een paar keer diep adem. Heel wat beter dan die volle roltrap.

De verkoopster is een vrouw van een jaar of veertig en ze kijkt ons vragend aan. 'Kan ik jullie helpen?'

Ik wijs op Iris. 'Zij zoekt een nieuwe broek.'

De verkoopster glimlacht vriendelijk en bekijkt Iris' figuur. 'Volgens mij is dit wel wat voor je. Wat vind je ervan?' Ze houdt een gebleekte spijkerbroek voor. Iris knikt goedkeurend. Is ze nou weer dat maffe spelletje aan het spelen? Kijken hoe lang het duurt voordat de verkoopster iets door heeft?

'Hier kan je passen.' De verkoopster houdt een gordijn opzij. Ik loop met Iris mee en ze gaat het hokje in. Ik hoor wat gerommel en even later komt ze naar buiten. De broek zit als gegoten.

'Mooi, hoor.' De vrouw lacht. 'Had ik nog maar zo'n figuur. Wat vind je van de kleur?'

Iris kijkt naar beneden. Ze doet net alsof ze erover na moet denken. 'Wel mooi.'

Ik kan mijn lachen bijna niet inhouden.

'Wil je er nog een passen?'

Iris doet het erg goed. De vrouw heeft niks door. Zelfs niet als Iris een broek aan wil pakken en misgrijpt. Na drie broeken kiest Iris er twee. De gebleekte en nog een wijdere. Met haar portemonnee loopt ze naar de kassa.

'Je hebt een mooie bril op,' zegt de verkoopster vriende-

lijk. 'Ben je soms bang dat je anders herkend wordt?'
Iris begint te lachen. 'Anders staren ze me zo aan.'

'Arm mens.' Ik neem een hap van mijn ijsje. We staan aan de balustrade van het winkelcentrum. Het tasje met de broeken hangt tussen ons in.

Iris haalt haar schouders op. 'Anders was ze toch maar zenuwachtig geworden.'

Daar heeft ze waarschijnlijk wel gelijk in. Ik moet denken aan de vrouw bij het zwembad, die bijna haar muntjes liet vallen.

'Ik ben nooit zenuwachtig geworden,' zeg ik, terwijl ik een stuk van mijn hoorntje doorslik.

'Daarom ben ik ook zo graag bij je.' Iris glimlacht. Ik weet ineens niks meer te zeggen. Dat heb ik altijd al gehad. Zodra ik complimentjes krijg sla ik dicht.

'Ik ga even naar de wc voordat we teruggaan.' Iris veegt haar plakkerige handen af aan een servetje en vouwt haar stok uit.

Ik kijk haar aan. 'Moet ik met je mee?'

'Ga nou niet alsnog zenuwachtig worden,' lacht Iris. 'Je deed het net zo goed.'

Ik kijk naar Iris, die haar weg naar het restaurantje terugvindt.

Wat knap dat ze dit zo doet. Als ik niks meer zag, weet ik niet of ik nog kon lachen. Of zo positief kon doen. Nooit meer tv kijken, nooit meer genieten van het uitzicht boven in mijn boom. Blikken van nieuwsgierige mensen. Het medelijden. Je ziet het niet, maar je voelt het. Elke dag opnieuw. Ik zou er gek van worden.

'Wie hebben we daar!' Beneden klinkt een bekende stem.

Ik hoef niet te kijken. Jen komt samen met Stijn de roltrap op. Sara is er niet bij.

'Ook inkopen aan het doen voor kamp?' Jen komt bij me staan en wijst op het tasje met Iris' broeken. Ze lijkt ons gesprek in de wc's helemaal vergeten. Is ze niet kwaad meer over het schoolplein? Of houdt ze zich in vanwege Stijn?

'Zoiets.'

'Jen wilde naar de stad,' zegt Stijn. 'We gingen ook net een ijsje halen.'

Ik ontwijk zijn ogen en blijf naar zijn gympen kijken. De veters zitten los.

'Ben je alleen?' Jen kijkt zoekend om zich heen.

'Ja.' Ik kan haar moeilijk vertellen dat Iris op de wc zit. Als Jen erachter komt dat ik haar ken zal ze haar mond niet kunnen houden.

'Nou, wij gaan een ijsje halen.' Jen trekt Stijn mee. Ik zie hen bij de vitrine met de smaken staan. Stijn neemt toch altijd hetzelfde. Twee bolletjes citroen. Of is hij daarin ook veranderd?

Schiet nou op, Iris. Straks komen die twee weer terug. Je wil hen toch niet tegenkomen op zaterdag?

Op dat moment zie ik haar oranje haren. Ze loopt vlak achter Jen en Stijn langs en raakt de schouder van Jen, die geïrriteerd omkijkt. Ik schrik, maar Jen draait zich weer terug naar de vitrine, zonder iets te zeggen. Houdt ze zich echt in omdat Stijn erbij is? Dat deed ze eerder ook niet.

Stijn wijst een smaak aan. Citroen, twee bolletjes. Ik kijk verbaasd naar Jen, die zich ook weer op het ijs richt. Ik kan mijn ogen niet geloven.

Iris pakt haar tasje aan. Gelukkig heeft ze Jen niet opgemerkt. 'Zullen we gaan?'

Ik kijk opnieuw naar Jen, die rode wangen heeft. Ik snap er helemaal niks van. Waarom houdt ze haar mond tegen Iris? Ze moet haar wel herkend hebben. Iris botste nota bene tegen haar op! En waarom bloost ze? Dat is toch helemaal niks voor haar? Jen lijkt helemaal op te gaan in de ijssmaken en merkt het niet eens als ik samen met Iris wegloop.

'Wat hebben we allemaal nodig?' Ik neem het boodschappenlijstje van Simion over, die zwijgend de kar duwt. We zijn in de groothandel en ik word duizelig van de hoeveelheid producten om me heen. Hoe vinden we hier ooit de dingen die we nodig hebben?

'Dit in ieder geval niet.' Ik blijf staan bij een grote bak kreeften. Hun scharen zijn aan elkaar gebonden en ze leven nog. 'Wat doen die hier?'

Simion komt bij me staan. *'They cook them alive.'*

Ik kijk hem verbijsterd aan. 'Levend koken? Waarom?'

'Don't know.' Simion buigt zich voorover en steekt zijn arm in het water. Hij verdwijnt er tot aan zijn elleboog in.

'Wat doe je?' Ik kijk geschrokken om me heen, maar iedereen heeft het te druk met zijn eigen boodschappen.

Simion peutert aan de scharen van een kreeft. Dan laat hij hem los en pakt mijn arm. Ik laat me meesleuren, weg van de bak. We hurken achter een grote piramide van opgestapelde blikjes. Simion legt zijn vinger op zijn lippen en wijst naar de kreeften.

'Watch.'

Na een tijdje verschijnt er een man in een net pak. Hij roept een medewerker erbij en wijst op de bak.

'Zou ik er zo eentje mogen?'

Ik bijt op mijn lip. 'Om levend te koken, zeker. Wat een hufter.'

De medewerker knikt. 'Ik haal de tang even.'

De man kijkt om zich heen en dan op zijn horloge. Hij heeft haast. De minuten verstrijken, maar de medewerker komt niet terug. Misschien vindt hij het ook wel zielig.

Dan stroopt de man zijn mouwen op. Simion knijpt

opgewonden in mijn arm. Ik zie hoe de man zich voorover buigt en, net als Simion, tot zijn elleboog in de bak graait. Er volgt een keiharde kreet. Woedend trekt de man zijn hand terug, die flink bloedt.

'Wat is er?' De medewerker komt terug met een ijzeren tang. Hij kijkt verbaasd naar de bloedende hand.

'Wat er is? Die scharen hoor je vast te maken. Anders grijpen ze je!' De man draait zich woedend om naar zijn boodschappenwagen en beent weg. De medewerker blijft verbouwereerd achter.

Simion begint te lachen. Als ik hem aankijk zie ik zijn ogen stralen. Ineens lijkt hij veel jonger.

'Heb jij zijn scharen... *Did you?*'

Simion knikt trots.

'Was het gezellig?' Mijn moeder komt op de rand van mijn bed zitten.

'Ja.' Ik kruip onder mijn dekbed. Voor het eerst sinds jaren heb ik het gevoel dat ik een vriend heb. Twee zelfs. De opmerking van Iris bleef de hele middag hangen. *Daarom ben ik ook zo graag bij je.* En met Simion ben ik nog vijf keer in de lach geschoten. Bij de kassa's kwamen we de man tegen. De aanblik van zijn gewonde hand was genoeg om weer in lachen uit te barsten.

'Lieverd?' Mijn moeder kijkt me serieus aan. 'Er is iets wat je moet weten.'

'Gaat kamp niet door?' Ik probeer mijn opluchting te verbergen.

'Nee nee, dat is het niet. Je zal het misschien niet leuk vinden, maar...'

Ik kijk naar mijn moeder. Wat is er aan de hand? Waarom zegt ze niet gewoon wat er is?

'Simion wil eerder weg.'

Het voelt alsof iemand mijn keel dichtknijpt.

'Eerder weg? Hoe bedoel je?'

'Hij heeft vervroegd ontslag genomen. Aan het eind van deze week gaat hij terug naar zijn familie.'

Twaalf

'Donna, ze zijn er!' Mijn moeders opgewekte stem klinkt onderaan de trap.

Ik heb de halve nacht wakker gelegen en aan Simion gedacht. Hoe kan hij zomaar ineens vertrekken? Heeft hij soms heimwee? Of hebben mijn ouders hem stiekem ontslagen?

Hoe moet het nou als hij er niet meer is? Simion is de enige tegen wie ik eerlijk kan zijn, juist omdat hij me niet verstaat.

Ik kijk in de spiegel en trek mijn truitje recht.

Met een paar passen ben ik beneden. Vijf klasgenoten staan met hun weekendtas voor de deur. Mijn moeder wijst hun de weg naar het restaurant. Ik zie ze naar mij kijken. Alsof ik een andere diersoort ben.

Niet veel later staat Stijn voor de deur. Hij is alleen. Mijn moeder trekt hem zowat naar binnen.

'Stijn, wat leuk je weer eens te zien.' Ze lacht vriendelijk naar hem. 'Hoe gaat het met je ouders?'

Ik hoor het antwoord niet, maar kan alleen naar mijn oude vriend kijken, die hier ineens in mijn keuken staat. De manier waarop hij met mijn moeder praat, alsof er niks gebeurd is. Alsof hij haar gisteren nog heeft gezien, in plaats van twee jaar geleden. Ik word er draaierig van. Het liefst zou ik naar mijn boom rennen en er de hele week niet meer uit komen.

'Lieverd, wijs jij Stijn even de weg?' Mijn moeder kijkt me aan.

'Ik weet het nog wel, hoor.' Stijn hijst zijn weekendtas over zijn schouders en lacht. 'Ik heb hier vaak genoeg pannenkoeken gegeten.'

Ik moet denken aan ons wedstrijdje. Hoe oud waren we toen? Mijn ouders hadden het restaurant net gekocht. Stijn is het dus nog niet vergeten. Ik voel me warm worden.

'Daar zijn er nog twee.' Mijn moeder doet de deur open en Jen en Sara stappen de keuken in. Mijn hart bevriest. Natuurlijk, ik wist dat ze zouden komen, maar om ze nu ineens te zien is anders. Jen kijkt van mij naar mijn moeder en glimlacht. Hou op, zeg ik tegen mezelf. Het zijn twee meiden, meer niet. Maar ik kan niet meer helder denken.

'Laat jij ze even het restaurant zien, Donna?'

Nee, denk ik. Dat wil ik niet. Het restaurant is van mij. Dat gaan ze niet ook nog eens afpakken. Maar toch ga ik hen voor naar de grote ruimte, waar Stijn met het suikerpotje speelt.

'Mooi, hoor.' Sara laat haar weekendtas vallen. Ze heeft nauwelijks om zich heen gekeken.

Jen gaat naast Stijn aan het tafeltje zitten, pakt de menukaart, en kijkt me lachend aan. 'Kunnen we bij jou wat bestellen?'

Met de hele klas aan de tafeltjes is het vol in het restaurant. Onze mentor gaat vlak voor de ingang naar de keuken staan en kucht. 'Jongens, even stil nu. Allereerst wil ik de ouders van Donna hartelijk bedanken voor de vriendelijke ontvangst in hun hotel.'

Ik zie Sara een vies gezicht trekken.

'En ten tweede wil ik even de regels met jullie doornemen voor de komende week.'

Ik kijk naar Stijn, die onderuitgezakt op de stoel zit. Jen heeft zijn hand gepakt en haar hoofd op zijn schouder gelegd. *Stijn en ik zijn samen.*

'Is het tot zover duidelijk?' De mentor kijkt ons vragend

aan. 'En wat de slaapplaatsen betreft, de jongens gaan apart van de meisjes.' Hij kijkt even naar Jen. 'Ik kom jullie controleren.'

Jen zucht. 'Doe niet zo moeilijk.'

'Daar ben ik voor aangenomen.' De mentor klapt in zijn handen. 'Goed, allemaal tassen naar boven brengen en over een halfuur weer hier.'

Tientallen stoelen schuiven over de vloer. Er wordt geduwd en voorgedrongen op de trap naar boven. Iedereen wil de mooiste kamer hebben. Ik sjok erachteraan. Ik zag het al voor me, slapen tussen al die klasgenoten, die denken dat ik ze 's nachts bespioneer. Gelukkig vindt de mentor het geen probleem als ik op mijn eigen kamer slaap.

'Wat een kleine kamers,' hoor ik Sara boven roepen.

'Stel je niet zo aan.'

'Ze heeft gelijk. Het is hier donker.'

'Doe de gordijnen dan open.'

'Ik slaap hier man, moet je dit uitzicht zien.'

'Hier komt mijn luchtbed!'

Ik doe snel de deur van mijn kamer dicht en ga op mijn bed zitten. Zelfs door de dichte deur heen hoor ik de stemmen van mijn klasgenoten. Arme Simion, die zal vannacht geen oog dichtdoen. Misschien krijg ik mijn ouders wel zo ver dat hij op een matje op mijn kamer mag. Hij is tenslotte nog maar een week hier.

Er wordt op mijn deur geklopt en nog voor ik kan antwoorden gaat hij open. Jen staat in de deuropening, alleen. Zelfs in mijn eigen huis ben ik niet veilig meer.

'Hé, Donna.'

'Hé.' Komt ze me nog verder naar beneden trappen?

'Kom jij niet boven slapen?' vraagt ze verbaasd, als ze mij op mijn bed ziet zitten.

'Nee.'

'Waarom niet?'

Vanwege jou natuurlijk.

'Ik slaap niet goed in vreemde bedden.'

'Leuke kamer heb je.' Jen bekijkt de foto's op mijn prikbord. Er hing er ooit eentje van Jen, waar ik een snorretje op had getekend, maar die heb ik gelukkig in mijn la liggen.

Jen trekt een punaise uit het bord en bekijkt de foto in haar hand. De foto van groep acht. Waar Stijn een gebroken arm had en naast mij stond, helemaal achteraan.

Jen glimlacht. 'Wat zijn we hier klein.' Ze wrijft met haar duim over de foto. 'Dat je die nog hebt hangen, zeg.'

Ik weet niet wat ik moet zeggen. Ik wil dat ze weggaat. Desnoods neemt ze die foto mee. Maar Jen is nog lang niet klaar en bekijkt de andere foto's op het bord. Er hangt van alles tussen. Oude bioscoopkaartjes, foto's van vakantie en zelfs een geboortekaartje van een achterneefje.

'Is dit Stijn?' Jen trekt verbaasd een foto van het bord. De punaise houdt een stukje achter. Het is mijn favoriete foto, ook al is hij nog zo oud. Stijn en ik staan in onze luiers aan de rand van een pierenbadje. Hij had zwembandjes om zijn mollige armpjes en ik keek lachend in de camera. Het is een van onze eerste foto's samen.

'Dat is een oude foto.'

'Dat kan je wel zeggen!' Jen begint steeds harder te lachen. 'Wat was jij mollig vroeger. En moet je Stijn zien. Die moet ik aan hem laten zien zo. Zal hij blij mee zijn.'

Ik wil tegen haar schreeuwen dat ze de foto los moet laten. Dat ze op moet rotten. Dit gaat natuurlijk de hele week zo door. De enige plek waar ik haar kon ontlopen is nu ook gevuld met Jen. Ze is overal. Alleen mijn boom is nog veilig.

'Jullie kennen elkaar al lang, zeg.' Jen lijkt wel jaloers. Waarop eigenlijk precies?

'Klopt.' Ik pluk aan mijn dekbed. Ik ken Stijn al mijn

hele leven. Dat is toch bijzonder? Zoiets gooi je toch niet zomaar weg?

Op dat moment komt Simion langs mijn kamer en kijkt verbaasd naar Jen. '*Who are you?*'

Zijn haren zitten in een staartje en hij draagt een zwart shirt met afgeknipte mouwen. Hij is knapper dan ooit en even voel ik me heel trots.

'Simion, dit is Jen, mijn klasgenoot. Jen, dit is Simion, onze hulp.'

Jen legt de foto op het bureau en steekt haar hand uit. Ze is van hem onder de indruk, dat zie ik meteen. Een grote jongen van achttien jaar. Jen kijkt zelfs even naar zijn gespierde armen.

Simion schudt beleefd haar hand, maar draait zich dan naar mij. Aan zijn ogen kan ik zien dat hij mijn verhalen over Jen niet vergeten is.

'*Can you help me in the kitchen?*'

Ik zie Jen achter zijn rug verbijsterd kijken. Ze is het niet gewend dat jongens haar negeren.

Samen met Simion loop ik naar beneden. Ik kan hem wel zoenen.

'Lieverd, hij is achttien jaar.' Mijn moeder kijkt me ongelovig aan. 'Je verwacht toch niet dat we het goed gaan vinden dat hij deze week bij jou slaapt?'

'Waarom niet?' Ik slik mijn andere zin in. Vertellen dat hij al veel vaker op mijn kamer is geweest, lijkt me nu geen goede zet.

'Hij is achttien,' zegt mijn moeder weer.

'Hij slaapt gewoon op een matje,' ga ik door. 'Anders doet hij de hele week geen oog dicht. Geloof me. En dit is zijn laatste week.'

'Dan slaapt hij op de bank in de woonkamer.' Mijn moeder legt de natte theedoek op het aanrecht. 'Maar niet bij jou.'

Ik kijk mijn moeder onderzoekend aan. 'Moet hij soms weg omdat jullie bang zijn dat we...' Ik durf die zin niet eens af te maken. Het is een belachelijk idee. Simion en ik? Natuurlijk is hij knap, maar totaal onbereikbaar.

'Donna!' Mijn moeder kleurt rood.

De deur van de keuken zwaait open en Simion komt binnen. Hij heeft mijn vader geholpen met het uitruimen van de boodschappen en draagt een krat vol etenswaren. Pasta, verse kruiden, tomaten, aardappels, frisdrank en chips.

Als ik het krat wil overnemen, houdt mijn moeder me tegen. Ze ziet steeds roder.

'Volgens mij moest jij naar het restaurant.'

'Er zijn een aantal dingen die we deze week gaan doen,' zegt de mentor.

'Verstoppertje spelen zeker,' roept een jongen boven de groep uit. 'Daar is Donna erg goed in.'

Iedereen schiet in de lach en kijkt mijn kant op. Ik staar naar mijn gympen.

'Nee, geen verstoppertje.' De mentor trekt een kartonnen doos naar zich toe. 'Maar wel een speurtocht in het donker.'

Hij knipt één van de zaklampen aan. Achter me wordt gejoeld. 'Dat is eng!'

'Stel je niet zo aan,' roept een jongen. 'Dat is juist gaaf.'

De mentor steekt zijn hand op. 'Dit doen we morgenavond pas. We gaan nu lekker eten. De ouders van Donna hebben een heerlijke spaghetti gemaakt.'

Jen buigt zich naar Stijn toe. 'Dit is toch een pannenkoekenrestaurant?'

Ik kijk naar mijn vader en moeder, die de tafels dekken. Een paar klasgenoten spelen met hun bestek en prikken ermee in de tafellakens. Eén jongen laat kaarsvet op de hand van zijn buurman druppelen. Waar ben ik aan begonnen? De hele klas in je huis. Zoiets is leuk als je de populairste van de school bent en in een villa woont. Met een zwembad in de achtertuin en voorbeeldige ouders, die allebei in dure wagens rijden.

Maar ik woon in een pannenkoekenrestaurant. Ik verstop me op het schoolplein en ben de enige die geen uitnodiging krijgt voor feestjes. Vanuit mijn ooghoek zie ik Jen door Stijns haren woelen. Ze staan nu alle kanten op.

Ineens besef ik dat het helemaal niet om de klas gaat. Al was de hele school komen logeren. Het gaat me om die drie. Jen, Sara en Stijn. Ze geven me het gevoel dat ik stik. Dankzij hen komen de muren op me af. Nog meer dan normaal. Alsof ik gevangen zit in mijn eigen huis.

'*Cola?*' Simion kijkt me vragend aan en glimlacht even. Ik pak dankbaar het koude glas aan en neem een slok. Simion verdwijnt de keuken in.

Het leek net alsof hij wilde zeggen dat het allemaal wel goedkomt, maar hij kent de woorden natuurlijk niet. Toch voel ik me beter. Misschien zei zijn glimlach nog tien keer meer.

'Sliep je al?' Jen kijkt me verbaasd aan.

Ik lig onder de dekens en heb het licht uitgedaan. Boven klinkt gejoel en gegil. Natuurlijk slaap ik niet. Alsof dat ooit lukt met die dierentuin boven mijn hoofd.

'Ik kom die foto halen,' zegt ze en knipt het licht aan. Ze wordt gevolgd door Stijn en Sara, allebei in pyjama. 'Moet je zien.'

Stijn moet lachen om zichzelf in luier. 'Wat is dit lang geleden.' Hij ploft op mijn bed neer en ik kijk naar zijn benen. Ze zijn een stuk gladder dan die van Simion.

'Kan jij je dit nog herinneren?' Stijn laat mij de foto zien.

'Toen waren we één.'

Stijn kijkt opnieuw naar de foto in zijn handen. Wat denkt hij nu? Is hij ontroerd door het beeld van ons tweetjes? Mist hij onze vriendschap?

Bij de deuropening leunt Jen tegen het hout aan. 'Weet je zeker dat je niet boven komt slapen? Op onze kamer is nog een plek vrij.'

Ik kijk haar aan. Ze draagt een rode pyjama, die strak om haar lichaam spant.

Wil ze nou echt dat ik bij hen kom slapen? Of haalt ze dan een geintje met me uit morgenvroeg? Waarschijnlijk dat laatste. Ik kan me niet voorstellen dat ze mij er echt bij wil hebben. Misschien alleen maar om me te pesten. Jennen.

'Nee, dankje.'

Stijn zit nog altijd op mijn dekbed. 'Je gaat toch niet de hele week alleen slapen?'

Sara lacht. 'Ze is ook niet alleen. Die buitenlander is er ook nog.'

Stijns staat op. Hij legt de foto terug op het bureau en knipt het licht uit. Ik zie alleen nog zijn silhouet in het ganglicht.

'Nou, welterusten dan maar.'

Dertien

De zon piept door een kleine kier in het gordijn mijn kamer binnen. Het duurt even voordat ik weet waarom ik me zo vreselijk voel. Maar als ik de voetstappen en de stemmen boven mijn hoofd hoor weet ik het weer. Kamp.

Het is warm in bed en ik sla puffend het dekbed van me af. Hoe laat zou het zijn? Ik kijk op het kleine klokje, dat halfacht aangeeft. Waarschijnlijk gaan we zo ontbijten.

Ik schiet in een schone spijkerbroek en een shirtje. Mijn haren bind ik, terwijl ik de trap af loop, in een strakke staart. In de keuken van het restaurant staat Simion sinaasappels te persen.

'Heb je nog een beetje geslapen?' Ik pak een van de glaasjes en ga ermee op een kruk zitten.

'*A little bit.*' Simion heeft me dus wel verstaan. Gaat hij me zelf nog vertellen dat hij weggaat?

Ik schuif op de barkruk heen en weer. 'Jen was weer in mijn kamer gisteren. Met Stijn. Ik had niet verwacht dat hij ooit nog op mijn bed zou zitten.'

Ik neem nog een slok van de jus, die zuur smaakt. Ik ben in één keer wakker. 'Hij liet me gewoon alleen slapen. Volgens mij kan het hem niks schelen.'

Simion begint de verse broden uit te pakken en legt de boterhammen in rieten mandjes.

'Het idee dat hij daarboven ligt en Jen ook, terwijl ik...' Nu ik het zo tegen Simion zeg besef ik het opeens. Alsof ik nu pas voel wat ik al jaren hoor te voelen. Altijd heb ik gedaan alsof ik het prima kan, alleen zijn. Ik heb me altijd voorgenomen mezelf niet te laten kennen. Tenminste, niet waar iemand bij is. Huilen deed ik altijd alleen. En nu zeg ik dit zomaar tegen Simion. Ik ben mijn beste vriend kwijt.

'Stijn hoort gewoon bij mij.' Ik schrik van de woorden, die automatisch uit mijn mond rollen, alsof ik ze al tijden voel.

Vlakbij het restaurant is een grote open plek. De mentor heeft ons in teams verdeeld en er wordt een partijtje voetbal gespeeld. Ik kijk hoe Jen achter Stijn en de bal aan rent. Ze maakt geen schijn van kans. Stijn was vroeger al goed in voetbal en is alleen maar beter geworden. Ik weet precies wat voor trucjes hij gebruikt om langs zijn tegenstander te komen.

'Wat ben jij slecht!' Ik zie dat Jen Stijn een duw geeft. Ze heeft de bal van hem afgepakt en scoort. Ik weet bijna zeker dat hij haar dat expres laat doen. Bij mij zou hij dat nooit doen. Ik ben een gewaagde tegenstander. Dat merkte ik wel bij trefbal. Hij wilde per se van mij winnen.

Aan de overkant van het veld herken ik ineens de oranje haren en de rood-witte stok. Iris loopt over het weggetje naar het restaurant. Wat doet ze hier? Gelukkig heeft Jen haar nog niet ontdekt. Die is alleen maar bezig met Stijn en haar doelpunt.

Ik sta op en ren snel naar Iris toe. 'Hé.'

'Donna.' Iris kijkt blij mijn kant op. Ze heeft haar zonnebril weer op.

Achter haar zie ik Jen opnieuw achter Stijn aanrennen. Wat nou als ze straks deze kant op kijkt?

'Ik heb mijn nieuwe spijkerbroek aan.' Iris heeft niks door en wijst trots naar beneden.

'Mooi,' zeg ik afwezig.

'Wat doe jij eigenlijk hier?'

'Gewoon, wandelen.' Jen en Stijn zitten nu aan de kant, maar hebben alleen maar oog voor elkaar.

'Zal ik met je meelopen?' Iris laat haar stok zien. 'Je hoeft me niet te helpen.'

Straks roept de mentor me na. Of ziet Jen ons. Wat als Iris erachter komt dat ik heb gelogen? Dat ik helemaal geen leuke klas heb. Dat ik het drietal kén? Ik moet hier zo snel mogelijk weg.

'Ik moet de andere kant op,' verzin ik. 'Maar ik kom snel weer langs, goed?'

Iris knikt. Het valt me nu pas op hoe vrolijk ze kijkt.

'Ik heb het goedgemaakt met mama. En ik heb al dagen geen last meer van dat vervelende meisje. Ze lijkt wel van de aardbodem verdwenen.'

Iris moest eens weten hoe ver ze van de waarheid af zit. Natuurlijk valt Jen haar nu niet lastig. Ze is op kamp. En dit weekend was ze winkelen met Stijn. Als het kamp afgelopen is zal alles weer van voor af aan beginnen. Maar als ik Iris zo zie glunderen slik ik mijn woorden in.

'Ik ben blij voor je,' zeg ik snel. Even denk ik dat ik Jen deze kant op zie kijken. 'Ik moet nu echt gaan.'

Ik kijk hoe Iris het pad af loopt, zwaaiend met haar stok van links naar rechts.

'Heeft iedereen een viertal?' De mentor kijkt onze klas vragend aan. Hij heeft de doos met zaklampen in zijn ene hand en een blaadje in zijn andere. Buiten is het pikkedonker.

'Er zit een aantal leraren verspreid door het bos. Bij hen moet je een opdracht uitvoeren. Het groepje dat als eerste terug is, wint.'

Ik kijk om me heen. Een aantal klasgenoten gaat meteen bij elkaar staan. Jen, Sara en Stijn zitten al met z'n drieën aan een tafel.

'Wij zijn een drietal,' zegt Jen.

'Neem Donna dan mee,' zegt de mentor, alsof ik een huisdier ben zonder baasje.

'Oké,' zegt Stijn, voordat Jen kan antwoorden, en ik ga

met tegenzin aan hun tafeltje zitten. Vanuit mijn ooghoek zie ik hoe de blikken van Jen en Sara elkaar kruisen.

Het vertrouwde bos voelt toch eng aan in het donker. Stijn en Jen hebben de zaklamp vast en Jen heeft Stijns hand gepakt. Ze lopen een paar meter voor Sara en mij. Vroeger zat ik weleens hand in hand met Stijn op de bank een film te kijken. Vooral als het eng werd kon ik hard knijpen. En nu loopt Jen zo. Zouden zijn handen nog altijd zo zacht en warm zijn? Ik zie Jen even naar hem toebuigen en iets in zijn oor fluisteren. Iets opwindends waarschijnlijk.

'Loop eens door, klefbekken,' roept Sara. 'Ik wil zo snel mogelijk terug.'

'Bang, Saar?' Jen kijkt plagend om.

'Hou je klep.' Sara duikt dieper in haar jack. 'Ik heb het gewoon koud.'

Ik kijk omhoog, waar de maan tussen de takken schijnt. Hij geeft nog meer licht dan de zaklamp.

'Waar zijn die leraren?' Stijn schijnt met zijn zaklamp naar rechts en links. De bomen staan er stil bij en er is niemand te bekennen.

'Misschien moeten we meer het bos in?' Jen wijst naar links, waar een smal paadje de bosjes in leidt.

'Doe jij maar. Ik blijf hier.' Sara blijft demonstratief staan, met haar armen over elkaar.

Stijn kijkt me grijnzend aan. 'Donna, jij durft toch wel?'

Ik knik, ook al kan ik mijn hart bijna horen bonzen. 'Ja, hoor.'

'Ik ga mee,' zegt Jen snel en ze pakt opnieuw Stijns hand.

Met z'n drieën lopen we door. De takken snijden in mijn gezicht en Stijn helpt Jen door een struik heen. Mijn voeten zakken weg in de aarde en bladeren.

'Daar!' Stijn wijst met zijn zaklamp in de verte, waar een lichtje brandt. 'Zie je wel.'

Onze lerares Duits zit met een beker koffie op een klapstoeltje. Ze kijkt opgelucht. 'Jullie zijn de eersten.'

'Heeft u een vraag voor ons?' Jen klinkt ongeduldig.

'Zeker weten.' De lerares haalt twee A4-tjes tevoorschijn. 'Wie van jullie kennen elkaar het best?'

Ondanks de donkere plek zie ik dat Jen bleek wordt. Ze weet maar al te goed wat het antwoord op die vraag is. Zal ze dat toegeven?

'Dat zijn Donna en ik, volgens mij.' Stijn pakt de blaadjes aan. 'Wat moeten we doen?'

'Ik stel jullie allebei drie vragen en jullie schrijven het antwoord op, waarvan je denkt dat de ander het zal geven. En daarna je eigen antwoord.'

Jen kijkt me onderzoekend aan als ik het blaadje van Stijn aanpak. Even denk ik dat ze ertegenin zal gaan, maar ze houdt haar mond en gaat verveeld tegen een boom staan.

'Als jullie alle vragen goed hebben, wijs ik jullie de weg naar de volgende leraar.'

Stijn kauwt op de achterkant van zijn pen en kijkt me aan. Ik ontwijk zijn blik en kijk naar mijn blaadje. Weet ik genoeg van hem? Vroeger wel, maar er is heel veel veranderd.

'Goed. Waar krijgt de ander de koude rillingen van?' De lerares leest de vraag voor.

Stijn denkt even na, maar begint dan te schrijven. Weet hij waar ik bang voor ben? Misschien wel. Maar hoe zit het met hem? Waar is Stijn bang voor? Hij was altijd de dapperste van ons tweeën. Dat was al zo toen we één waren, vertelde mijn moeder altijd.

Dan herinner ik me ineens weer die ene les bij biologie. Hij moest een kikker ontleden met een scherp mesje. Zijn gezicht was bijna groen.

'Donna, wat heb jij?'

‘Kikkers ontleden.’ Ik draai mijn blaadje om.
Stijn begint te lachen. ‘Dat is goed.’
‘En waar ben jij bang voor, Donna?’
Ik denk na. Voor kleine ruimtes. Voor Jen. Maar dat zal Stijn niet op zijn blaadje hebben staan.

‘Ik ben bang voor vampiers,’ zeg ik uiteindelijk.
Stijn draait zijn blaadje om. *Vampiers.*
‘Heel goed. Hoe wist je dat?’ vraagt de lerares.
‘We hebben ooit een film gekeken,’ zegt Stijn lachend. ‘Donna deed het bijna in haar broek.’
Ik moet denken aan zijn warme handen. De deken die we over ons heen hadden getrokken. Hij weet het dus nog.
Jen kijkt me vanonder de boom vuil aan. Het kan me even niks meer schelen. Stijn weet alles van mij, en ik van hem. Hij is de dingen van vroeger niet vergeten. Ik voel dat mijn wangen gloeien.
‘Volgende vraag. Lievelingseten?’
Ik begin te schrijven. Als ik klaar ben begint Stijn te lachen.
‘Ik denk dat Donna een pannenkoek met appel en kaneel zegt.’ Stijn draait zijn blaadje om.
Ik knik en laat mijn eigen antwoord zien. ‘Anders vermoordt mijn moeder me.’
‘En jij?’ De lerares kijkt Stijn vragend aan.
‘Hetzelfde.’
Ik draai met een grijns mijn blaadje om. *Pannenkoek appel en kaneel.*
‘Jullie zijn wel goed,’ geeft de lerares toe en ze kijkt opnieuw op haar lijst. ‘De laatste. Wie is jullie beste vriend?’
Ik durf niet naar Jen te kijken. Schrijft Stijn zijn eigen naam op? Of denkt hij dat ik een nieuwe beste vriend heb? En wie moet ik opschrijven voor Stijn? Jen? Hij kan toch niemand anders noemen nu zij erbij staat. Bovendien heb

ik hem al twee jaar niet gesproken. Uiteindelijk hak ik de knoop door en schrijf *Jen* op het blaadje.

De lerares vraagt het eerst aan mij. ‘Donna, wie is jouw beste vriend?’

Ik denk aan Iris, die ik pas net ken. De manier waarop ze meteen doorhad dat ik haar bespiedde. Dat ze graag bij me is. En dan denk ik aan Simion, die in zijn boxershort op mijn bureaustoel komt zitten, midden in de nacht. Misschien hen alle twee wel.

Maar dan zie ik de oude Stijn voor me. Zijn bruine ogen, waarmee hij nog meer kon lachen dan met zijn mond. De manier waarop hij tegenover me stond bij trefbal. Toen we een wedstrijdje deden wie de meeste pannenkoeken kon eten. De foto op mijn prikbord. Hij in zijn luier, aan de rand van het pierenbadje.

‘Stijn,’ zeg ik zachtjes.

De lerares knikt goedkeurend. ‘Had jij dat ook, Stijn?’

Hij knikt en draait zijn blaadje om. Zijn eigen naam staat er in grote letters geschreven, alsof hij nauwelijks heeft getwijfeld over het antwoord.

‘En wie is Stijns beste vriend?’

Ik voel tranen in mijn ogen staan. Komt dat door de kou of door haar vraag? Ineens is alles zo duidelijk. Ik ben ingeruild.

‘Jen,’ zeg ik schor en draai mijn blaadje om. Vanonder de boom voel ik Jens triomf. Ik verfrommel het papier.

Ik haal diep adem en kijk naar de lerares. ‘Goed. Waar moeten we nu heen?’

Ze heeft haar mond al open, maar dan houdt Stijn haar tegen. ‘Dat antwoord klopt niet.’

Ik kijk verbaasd naar mijn oude vriend, die een stap naar voren doet en zijn papier omdraait. Het licht van onze zaklamp valt op vijf letters: *Donna.*

Veertien

'Wat moesten jullie doen?' Sara kijkt Jen vragend aan. Ze staat te rillen van de kou en heeft geen meter bewogen.

'Niks bijzonders.' Jens stem klinkt vreemd. Zo heb ik haar nog nooit gezien. Wat zou ze nu denken? Ik kan zelf nauwelijks geloven wat er is gebeurd. Waarom schreef Stijn mijn naam op zijn blaadje? Hij had toch ook wel kunnen weten dat Jen dat niet leuk zou vinden? Bovendien kan het niet waar zijn. Ik zijn beste vriendin? Dat is al twee jaar niet meer zo. Het is logisch dat ik nog wel over hem denk, ik mis hem. Maar andersom lijkt hij mij allang vergeten. Toch?

'Wat is er nou?' Sara loopt achter ons aan en pakt Jens arm beet.

'Hou je kop gewoon, wil je?' Jen rukt haar arm los.

Sara kijkt beledigd. 'Ben je ongesteld, of zo?'

'Het was gewoon een stomme opdracht,' zegt Jen. 'Het sloeg helemaal nergens op.'

Ik kijk naar Stijn, die een paar meter achter ons loopt. Zijn haren hangen voor zijn ogen en hij kijkt naar zijn gympen, die kleine stappen zetten. Waarom treuzelt hij zo? Is hij bang voor Jens reactie? Hoe kan hij dan zo stom zijn? Wat had hij dan verwacht? Hij zette haar voor schut, met een lerares en mij erbij.

'Waar moeten we nu heen?' Sara kijkt naar Stijn, alsof die haar meer uit kan leggen.

'Geen idee.' Stijn kijkt voor het eerst op. Ik kijk snel weg.

'Kan iemand mij vertellen wat er allemaal aan de hand is?' Sara begint boos te worden.

‘We hebben de opdracht niet goed gemaakt,’ zeg ik snel, voordat Jen haar mond open kan doen. ‘Dus we hebben geen aanwijzing gekregen.’

Sara knikt. ‘Lekker dan. Was het zo moeilijk?’

Jen lacht. Het klinkt alles behalve vrolijk. ‘Donna vond kennelijk van wel.’

Het is halfeen als we eindelijk terug zijn in het restaurant. Het voelt niet meer als thuis nu al mijn klasgenoten er zitten. Ik heb het ijskoud gekregen door het zoeken in het bos en wrijf mijn handen warm boven een waxinelichtje. Jen en Stijn staan een eindje verderop en Jen gebaart druk met haar armen. Stijn blijft rustig en pakt dan haar schouders beet. Wat zegt hij? Dat hij het niet meende?

‘Het groepje van Max heeft gewonnen,’ roept de mentor boven de leerlingen uit. Er wordt gapend geapplaudisseerd. Iedereen is moe en heeft het koud. Sara zit met haar ogen dicht tegen de muur geleund.

‘Ik denk dat we allemaal lekker gaan slapen, morgen is er weer een dag.’ De mentor schuift zijn stoel aan.

Ik ben blij dat ik eindelijk naar bed kan. Ik moet alleen zijn, nadenken. Mijn benen voelen moe aan als ik opsta. Jen en Stijn zijn verdwenen, vast al naar boven. Morgen zal het wel weer goed zijn tussen hen.

Als ik langs de keuken loop zie ik Simion zitten.

‘*How was…*’ Hij twijfelt even. ‘Speurtocht?’

Ik knik en pak er een kruk bij. ‘Goed. Vermoeiend. Koud. En…’ Ik denk aan mijn naam op zijn papier. ‘Vreemd.’

‘Vreemd?’

‘Stijn heeft mijn naam opgeschreven,’ zeg ik zachtjes. ‘Wat moet ik daar nou mee?’ Ik hoor de laatste klasgenoten naar boven lopen. ‘Mist hij mij net zoals ik hem? Maar waarom komt hij dan nooit meer langs? Waarom zoent hij Jen, terwijl hij weet wat ze heeft gedaan?’

Ik zucht diep en kijk naar de klok, die één uur aangeeft. 'Ik weet niet eens of ik nog wel zijn vriend wil zijn nu hij Iris pest.'

Simion knikt.

'Waarom kan ik hem niet gewoon vergeten? Dat is toch wat je hoort te doen na zoiets? Daar loop je toch niet twee jaar mee rond? Dat is gewoon zielig.' Ik bal mijn vuisten onder tafel. Simion kijkt me zwijgend aan vanaf zijn barkruk.

'En dan Iris... Ik kan alleen maar tegen haar liegen. Ik zeg dat ik blij voor haar ben omdat ze al drie dagen geen last heeft gehad van Jen. Maar intussen weet ik dat het straks weer opnieuw begint. Wat ben ik voor vriendin?'

Simion legt zijn hand op die van mij. Mijn hand verdwijnt er helemaal onder. Ik kijk naar zijn knokkels, waar kleine zwarte haartjes opzitten. Zijn handen zijn veel groter dan die van Stijn, maar wel even warm. Misschien zelfs warmer. Ik kijk in Simions donkere ogen. 'En dan ga jij ook nog weg.'

Simion knikt. 'Sorry.'

'Tegen wie moet ik dan praten?' Het klinkt veel zieliger dan ik wil, maar ik voel me vreselijk. 'Iris komt er toch wel achter dat ik gelogen heb.'

Simion wrijft met zijn duim over mijn hand en zegt niks.

Als ik de volgende ochtend wakker word wrijf ik eerst uitgebreid de slaap uit mijn ogen. Ik had een drukke droom, vol zonnebrillen en zaklampen.

'Goedemorgen.'

Ik kijk geschrokken op. Als ik Jen aan mijn voeteneinde zie zitten ben ik in één keer wakker. Wat doet zij hier? Hoe laat is het? Droom ik nog steeds?

'Lekker geslapen?'

Ik ben dus wakker. 'Wat doe jij hier?'

'Ik kon niet meer slapen.' Jen glimlacht. 'Wist je dat Stijn snurkt?'

Ze hebben dus samen geslapen. Hebben ze elkaar gekust onder de dekens? Heeft de mentor hen niet uit elkaar gehaald? Ik kijk naar Jen, met haar blonde haren en blauwe ogen. Gisteren was ze nog kwaad, en nu zit ze glimlachend aan mijn voeteneind. Hoe lang zit ze hier al? Waarom ben ik niet wakker geworden?

'Het is weer goed tussen ons,' zegt Jen.

Ik negeer haar opmerking. 'Hoe laat is het?'

'Vroeg.' Jen pakt mijn wekker van het nachtkastje. 'Zeven uur.'

'O.' Waarom stuur ik haar niet weg? Maar ik voel nog steeds dezelfde angst. Die had ik in groep zes al. Bang voor een blond meisje. Bang voor wat ze nu weer gaat doen. Of zeggen. Zo bang, dat ik haar zelfs niet weg durf te sturen uit mijn eigen kamer.

'Stijn had jouw naam opgeschreven om je niet te kwetsen,' legt Jen uit. 'Dat heeft hij me gisteren verteld.'

Ik wil dit helemaal niet horen. Haar woorden komen aan als stompen in mijn maag.

'Het zal wel.'

Jen gaat staan en bekijkt de spulletjes op mijn bureau. Slaat mijn lievelingsboek open, waar de kaft bijna vanaf valt.

'Ik snap niet dat je hem nog je beste vriend kunt noemen. Hij heeft je zo laten vallen toen.'

Toen. Twee jaar geleden. Jen heeft het er nooit eerder over gehad. Nu zij het zo zegt voelt het ineens als gisteren. Ik zie haar nog met al die meiden bij elkaar staan. Een plannetje bedenken om mij te pakken. Nou, dat is gelukt.

'Als ik jou was zou ik alleen maar kwaad op hem zijn.' Jen kijkt me aan.

'Wil je gaan?' Mijn stem trilt, maar ik kom tenminste eindelijk voor mezelf op.

'Sorry, ik wilde je niet van streek maken.'

Nee. Vast niet.

'Nou, ik zie je bij het ontbijt.' Jen loopt naar de deur en trekt hem zachtjes achter zich dicht.

Ik kijk naar Stijn, die zijn zoveelste broodje pakt en met kaas belegt.

'Wat kan jij eten!' Sara kijkt verontwaardigd naar het lege mandje.

'Laat hem lekker.' Jen glimlacht. 'Jongens eten altijd veel.'

Vroeger at Stijn al veel. Behalve met pannenkoeken, dan won ik. Ik glimlach bij die herinnering. Waarom eigenlijk? Waarom ben ik niet kwaad op hem? Jen heeft gelijk, hij heeft me laten vallen. En toch blijf ik hopen dat het goedkomt. Eigenlijk moet ik hem de huid vol schelden. Roepen dat hij een hufter is, omdat hij me toen gewoon heeft laten zitten.

'Mag ik nog een broodje van jou?' Stijn hangt over mijn tafel heen. 'De meiden hebben ook honger.'

Ik knik. 'Pak maar.'

'Heb je ook zo diep geslapen vannacht?' Stijn kijkt me lachend aan. 'Na die speurtocht?'

'Gaat wel.'

'Het was een leuke opdracht,' zegt Stijn. 'Weer eens wat anders dan zaklopen.'

Ik denk aan mijn naam op zijn blaadje. En de woorden van Jen. *Stijn had je naam opgeschreven om je niet te kwetsen.* Waarom komt hij dan altijd naar me toe? Om dezelfde reden als Jen waarschijnlijk. Om me gek te maken. Misschien zelfs uit medelijden. Ik weet niet wat ik erger vind.

Ik geef Stijn mijn mandje aan. Zijn glimlach maakt me razend.

'Nee, ik heb ook niks met zakken,' fluister ik.

Mijn moeder zit in haar eentje in de keuken als ik binnenkom. De hele klas is boven een kussengevecht aan het houden, maar ik ben snel naar beneden geslopen.

'Hé lieverd.' Mijn moeder trekt een stoel dichterbij. 'Iedereen heeft het naar zijn zin, hè?'

Ik hoor het gegil van mijn klasgenoten twee verdiepingen hoger. 'Mam? Waarom moet Simion weg?'

Mijn moeder kleurt opnieuw rood. Zie je wel, heeft zij hem weggestuurd? Ik zie haar donkere blik weer voor me toen ze ons 'betrapte' in de keuken. Ze dacht dat Simion iets geflikt had.

'Het lijkt ons beter.' Mijn moeder neemt een slok van haar thee. 'Veel rustiger.'

'Waarom nodig je dan mijn hele klas uit?' Ik voel dat ik kwaad begin te worden. Ik heb haar nooit iets verteld over vroeger, maar ze moet toch wel doorhebben hoe Jen en Sara tegen me doen? Zelfs toen Stijn nooit meer langskwam hebben ze niks gevraagd. Ze dachten gewoon dat hij het druk had. Of ze wílden het niet zien.

'Lieverd, de beslissing is al genomen.'

Ik denk aan Simions donkere ogen. Zijn warme hand, die hij op die van mij legde. Straks zit hij in Hongarije en dan zie ik hem nooit meer.

'Dan neem je maar een nieuwe beslissing!'

Mijn moeder wil me nog tegenhouden, maar ik ren naar boven. Op de trap bots ik tegen twee mensen op, die innig verstrengeld tegen de muur aan staan. Ze hebben hun lippen op elkaar en zijn handen rusten op haar rug. Bijna op haar billen. Haar handen woelen door zijn donkere haar. Als Stijn mij ziet laat hij snel los. Hij veegt zijn mond schoon en kleurt.

'Donna.'

Jen begint te giechelen, zoals alleen zij dat kan. Alsof ze het erg vindt dat ze betrapt wordt. Ze wil juist dat ik dit zie.

'Wat is er aan de hand?' Stijn kijkt naar mijn behuilde

ogen.

Ik negeer zijn blik en kijk snel naar beneden. 'Niks.'

Stijns wangen zijn nog steeds rood. 'Sorry, we...'

'Waren aan het zoenen,' vult Jen aan.

Ik kijk haar aan. Haar lippenstift zit er aan alle kanten overheen. Haar T-shirt is een beetje opgeschoven en haar bh-bandje zit scheef.

'Ik zie het.'

Er leek iets veranderd. De klas liet me met rust terwijl ik in de leeshoek zat en pestte me niet langer. Kwam dat door Jen, die had besloten vrienden te worden? Ging het zo makkelijk? Ik durfde er nauwelijks blij om te zijn. Het kon toch elk moment weer beginnen?

Na schooltijd liep ik samen met Stijn naar de fietsen. Hij had zijn arm gebroken tijdens het skaten, maar kwam alsnog op de fiets naar school. We hadden afgesproken samen een ijsje te halen in het winkelcentrum.

In het fietsenhok, terwijl hij zijn been over de fietsstang slingerde zei hij: 'Vind je het erg als Jen meegaat?'

Ik keek naar haar. Ze stond bij de uitgang en leunde op haar stuur.

Stijn zag waarschijnlijk dat ik twijfelde. 'Ze doet nu toch normaal tegen je?'

Ik knikte. 'Dat is zo.'

'En ze wilde vrienden worden, zei je.'

Ik knikte weer. Het was tenslotte waar.

'Nou, dan is het toch geen probleem?'

Ik keek opnieuw naar Jen, die even zwaaide. Ik zag het aan alles. Dit was nep. Als ik haar nu mee liet gaan had ze me waar ze me hebben wilde. Dat kon ik niet laten gebeuren. Alles behalve dat.

'Ik wil niet dat ze meegaat,' zei ik tegen mijn vriend. 'Ik vertrouw haar voor geen meter.'

Ik snuif de lucht van de bladeren op. Het werkt niet. Mijn hart blijft bonken, alsof ik kilometers heb gerend. Het zweet staat in mijn handen, waardoor ik moeite heb de takken vast te houden.

Het beeld van Jen en Stijn danst voor mijn ogen. Het voelt net alsof het een film is, die blijft steken op dat éne punt. Monden op elkaar, tongen overal, losse bh's en rode wangen. Ik heb ze eerder zien zoenen, in het zwembad. Maar dit was anders. Het leek wel alsof ze elkaar nooit meer los wilden laten.

Waar is de Stijn gebleven die zei dat, als hij dan toch moest trouwen, hij dat het liefst met mij wilde? Waar is de Stijn die elke dag na school met mij meeging? Tijdens een enge film mijn hand vasthield? Jen heeft me alles afgenomen. Zelfs mijn fijne herinneringen. Die zijn alleen nog maar pijnlijk.

Ik blijf diep inademen door mijn neus. Ik leun met mijn rug tegen de stam, waar onze initialen nog steeds in staan gekrast. *D S.* Donna en Stijn. Ik wrijf met mijn vinger over zijn letter. Hij steekt gelig af tegen de donkere stam.

Het wordt nooit meer zoals toen. Stijn heeft voor Jen gekozen en daardoor tegen mij. Door mij in mijn eentje achter te laten tijdens die gymles heeft hij iets duidelijk willen maken. Hij wilde het niet langer voor me opnemen in de klas. Hij werd het vast zat. Het ging al zo sinds we klein waren. Altijd werd ik gepest en kwam hij voor me op.

Misschien werd hij daardoor ook wel gepest, dat weet

ik niet. Hij heeft het er nooit over gehad. Nam me gewoon mee om te voetballen, ook al keek de hele klas hem verbaasd aan. Ik heb ze zien denken, wat moet hij met dat meisje? Misschien denkt hij dat nu ook wel. Heeft hij mijn naam inderdaad opgeschreven uit medelijden. Om me dat kleine beetje verdriet te besparen, terwijl hij eigenlijk *Jen* bedoelde.

Ik doe mijn ogen dicht en luister naar de wind, die met de takken speelt. Ik weet niet hoe lang ik er al zit als ik stemmen hoor. Het zijn er twee. Jen komt uit ons huis gestormd, met een verbaasde Sara achter zich aan.

'En toen kwam dat stomme wicht ons storen. Midden in de zoen!' Jen gebaart wild met haar armen. 'Waarom moet ze toch altijd alles verpesten?'

Sara haalt haar schouders op. Ze stoppen onder mijn boom en Jen leunt tegen de stam. Ik vergeet bijna adem te halen. Ze zijn nu zo dichtbij. Wat nou als een van hen omhoog kijkt?

'Ik ben het zat hier.' Jen schopt tegen de hoop bladeren. 'Het stinkt, de groepsspellen slaan nergens op en Donna bemoeit zich overal mee.'

'We zijn er bijna vanaf,' zegt Sara. 'Dan slapen we eindelijk weer in een normale kamer.'

Ik knijp in de tak. Bijna heb ik de neiging om iets te roepen. Mijn ouders doen er alles aan om er wat van te maken en dan zeggen ze dit. Mijn huis stinkt helemaal niet. Onze bedden zíjn normaal.

'Ja,' zegt Jen. 'Gelukkig wel. En dan nodig ik Stijn wel bij mij thuis uit.'

Sara lacht. 'Je bed is groot genoeg.'

Ik voel een vreemde misselijkheid opkomen. Mijn buik rommelt en ik voel speeksel in mijn mond. Mijn benen tintelen. Het liefst zou ik nu naar beneden springen. Komt dat door Sara's opmerking?

'En alsof dit allemaal nog niet erg genoeg is!' Jen kijkt richting mijn huis en ik volg haar blik door de takken heen. Mijn hart staat stil. Bij onze voordeur staat een meisje met een rood-witte stok en oranje haar.

Vijftien

Ga weg, denk ik bij mezelf. Ga alsjeblieft weg. Maar Iris blijft bij onze deur staan en wil aanbellen. Haar hand glijdt over het hout, op zoek naar het knopje.

'Wat doe jíj hier?' Jens stem galmt door het bos.

Vanuit de boom kan ik zien hoe Iris' lichaam bevriest bij het horen van Jens stem.

'Je hoort me wel. Je bent blind, niet doof. Wat doe je hier?' Jen blijft onder de boom staan.

Iris draait zich langzaam om en kijkt nu onze richting uit. Haar zonnebril schittert in het zonlicht. Voor het eerst ben ik blij dat ze hem opheeft. Het lijkt net een harnas tegen de woorden van Jen.

'Kom eens hier.' Het is geen vraag. De dwingende toon in Jens stem doet Iris gehoorzamen. Ze loopt voorzichtig richting de boom, tot ze vlak voor Jen staat.

'Nou?' Sara kijkt Iris aan. 'Ga je nog iets zeggen?'

'Ik kom voor Donna.'

Daar heb je het al.

Sara kijkt Jen verbaasd aan. 'Donna?'

Dit gaat helemaal verkeerd. Straks weet Iris alles. Alles. En dan ben ik haar kwijt.

Jen begint te lachen. 'Jij komt voor Donna?'

'Ja.'

'Donna uit het pannenkoekenrestaurant?'

'Ja. Dat is van haar ouders.'

Jen lacht nog harder. 'Dit meen je niet. Een kneuzenclubje?'

Ik knijp in de stam. Dat ze zo tegen mij doet kan ik nog wel hebben, maar tegen Iris? Waarom laten ze haar niet gewoon met rust?

'Ik moet gaan.' Iris wil zich omdraaien, maar Jen pakt haar arm. Ik zie Iris schrikken.

'Rustig maar. Ik wil alleen even met je praten.'

'Ik moet gaan,' zegt Iris weer. Ze wil zich losrukken, maar Jen is sterker.

'Hoe ken jij Donna?'

Ik denk aan het winkelcentrum, waar ik samen met Iris wegliep. Jen heeft ons dus niet samen gezien.

'Donna is een vriendin.'

Ondanks de situatie voel ik me warm worden. *Donna is een vriendin.* Hoeveel mensen hebben dat ooit over me gezegd?

'Een vriendin? Hoe kan je nou bevriend zijn met Donna?' Sara spreekt mijn naam uit alsof ik een vies gerecht ben.

Iris geeft geen antwoord. Jen heeft haar arm losgelaten en loopt heen en weer. Ze is laaiend, dat zie ik aan alles. De manier waarop ze haar vuisten balt en haar rode wangen. Ze is kwaad op mij, omdat ik haar zoen met Stijn verstoorde. Ze is kwaad op dit hele kamp. En op Iris.

'Dus jij bent bevriend met Donna.' Jen herhaalt de woorden van Iris. 'Donna uit onze klas.'

Het is stil. Ik hoor de wind tussen de takken ruisen. Ik meen zelfs het kussengevecht in het restaurant te horen. En ik hoor de laatste woorden van Jen echoën. *Donna uit onze klas.*

Ik ben erbij. Hoe kon ik zo naïef zijn te hopen dat Iris er niet achter zou komen? Natuurlijk komt ze erachter. Zelfs als Jen haar mond had gehouden had ze het ontdekt. We waren Jen heus nog wel een keer tegengekomen. In het zwembad, in de stad, waar dan ook. En toch. Nu Iris het weet voel ik me leeg. Verslagen. Alsof je een marathon rent en op het laatste moment wordt ingehaald.

'Donna uit jullie klas?' Iris' stem trilt. Ik hoor aan haar dat ze zich afvraagt of het echt was. Mijn belangstelling, mijn uitnodiging voor het zwembad, onze vriendschap. Maar dat was het. Zo echt als mijn vriendschap met Stijn ooit was, zo voelt het nu ook met Iris. Ik wil haar niet kwijt.

'Ja, Donna.'

Iris zwijgt. Zelfs met haar zonnebril op kan ik zien wat ze denkt. Ik heb tegen haar gelogen.

'Wat sta je daar nou?' Jen geeft Iris een duw. 'Of ga je weer je vriendjes roepen? Die jongen van de vorige keer bijvoorbeeld?'

Iris schudt haar hoofd.

'Jen heeft nog dagen met koppijn rondgelopen,' gaat Sara verder. 'Ga je daar nog sorry voor zeggen?'

Ik kijk naar Iris, die blijft zwijgen. Ze lijkt wel verdoofd. Het maakt Jen nog razender dan ze is. Ik moet haar tegenhouden, maar ik blijf muisstil zitten.

Ik kan deze plek toch niet verraden? De enige plek waar ik kan ontsnappen aan het medelijden van mijn ouders en de blikken van Jen. De enige plek die écht van mij is.

'Je bent al net als Donna.' Jen spuugt de woorden uit. 'Altijd de zielepoot uithangen.'

'Geef hier.' Sara trekt Iris' zonnebril af. Ineens lijkt het alsof Iris in haar blootje staat. Alsof er iets mist aan haar gezicht. De enige bescherming die ze nog had.

Jen lacht als ze Iris' blik ziet. Bang. Haar ogen schieten nerveus heen en weer. Even lijkt het of ik mezelf zie. Hoe vaak stond Jen niet zo voor mij?

'En deze heb je ook niet meer nodig.' Jen pakt de stok en breekt hem in tweeën. Ik zie het gebeuren. Op nog geen vijf meter afstand. En toch doe ik niks. Helemaal niks. Mijn billen zitten vastgeroest aan de stam onder me.

'Waar zijn ze nou?' Jen kijkt om zich heen. 'Al die helpers van je?'

Iris blijft stil. Ze laat het gewoon gebeuren.

Ik vouw mijn handen over mijn oren en knijp mijn ogen dicht. Ik wil het niet horen. Ik wil het niet zien.

Hoe lang het duurt weet ik niet, maar ik hou mijn ogen en oren dicht. Pas na iets wat uren lijkt te duren tuur ik voorzichtig door mijn wimperharen. Ik zie de bladeren en ruik de frisse lucht. Mijn handen haal ik voor mijn oren weg. In de verte krast een vogel, maar verder is het stil. Waar zijn ze gebleven? Ik kijk naar beneden, maar zie alleen de hoop bladeren. Er is geen spoor te bekennen van Sara of Jen. Waarschijnlijk zijn ze terug naar het restaurant. En Iris? Ik kijk om me heen, maar kan haar niet ontdekken. Er schieten duizend gedachten door me heen. Wat hebben ze met haar gedaan?

Mijn hart bonst als een bezetene als ik naar beneden klim. Voorzichtig land ik op de zachte hoop bladeren.

Ik moet naar Iris toe. Ik moet weten of ze in orde is. Iris noemde mij een *vriendin*. Ik moet haar uitleggen waarom ik tegen haar heb gelogen.

'Dus je was er wel.' Achter me hoor ik haar stem. Ik draai me met een ruk om en zie Iris op de grond zitten. Ze heeft haar armen om haar knieën geslagen en haar ogen zijn gesloten. Haar lip bloedt.

'Iris...' Mijn stem klinkt schor. Ik wil naar haar toe lopen, maar Iris steekt haar hand op.

'Blijf daar.' De koelte is erger dan ooit. Haar stem is van ijs.

'Iris, ik...'

Iris kijkt me aan. 'Ik weet dat je gelogen hebt. En ik weet ook waarom.'

Ik schud mijn hoofd. 'Het is niet wat je denkt.'

'En ik maar denken dat je mij ook aardig vond. Eindelijk iemand die geen medelijden met me had. Iemand die meedurfde naar buiten. Ondanks al die blikken. Hoe kon ik zo stom zijn? Natuurlijk schaam je je voor me. Zelfs mijn eigen moeder schaamt zich voor me. Haar gehandicapte dochter, die niet eens kan fietsen zonder overal tegenaan te botsen.'

Ik kan nauwelijks naar Iris kijken. Hoe ze in haar eentje op de grond zit, midden in de hoop bladeren. Haar vochtige ogen.

'Daarom liet je me achter in het zwembad. Je wilde niet dat die Jen ons samen zag.'

Ik denk aan Jen en Stijn. De kus in het water.

'Dat was niet vanwege jóu!'

'Waarom ben je niet gewoon eerlijk? Je zit bij Jen in de klas. Dacht je dat ik daar niet achter zou komen? Dat ik zó dom ben? Dat ik blind ben wil niet zeggen dat ik niks zie. Ik zie alles. Jij zat boven in je boom en deed niks. Zelfs niet toen ze mijn stok afpakten.' Iris veegt met haar mouw langs haar neus. 'Je hebt me gewoon laten stikken. Omdat je je schaamt.'

'Ik schaam me niet voor je.' Ik schreeuw de woorden uit. Ze moet me geloven.

Iris staat op en houdt zich vast aan de stam. Haar benen trillen. 'Als je het niet erg vindt wil ik nu naar huis.'

'Nee, wacht.' Ik wil haar tegenhouden. Alles uitleggen. Ik schaam me niet voor haar. Dat heb ik nooit gedaan.

'Laat me.' Iris schudt mijn hand van zich af. 'Je bent net zo erg als alle anderen.'

Ik kijk hoe ze wegloopt, zonder stok en wankelend op haar benen. Hoe ze uiteindelijk niet meer is dan een oranje vlek.

Als ik naar beneden kijk zie ik haar kapotte zonnebril tussen de bladeren liggen.

Zestien

Hijgend sla ik de deur van mijn kamer dicht. Ik ben als een gek de trap op gestormd. Het kan me niks meer schelen dat mijn moeder zich afvraagt wat er is. Iris is weg en ze komt niet meer terug. Ik heb heel goed gehoord wat ze allemaal zei. Ze denkt dat ik me voor haar schaam. De kassavrouw bij het zwembad, de vrouw in de spijkerbroekenwinkel, alle mensen in de stad, ze interesseerden me niet. Ik schaamde me eerder voor hén, omdat ze zo staarden. Ik werd er kwaad van. En toch snap ik Iris. Ik ken haar pas twee weken, maar zij heeft dit al haar hele leven. Iedereen heeft haar altijd aangestaard, alsof ze een bijzonder schilderij is. Of nee, een zielig schilderij.

Waarom deed ik niks toen Jen haar riep? Ik had toch naar beneden kunnen springen en Iris kunnen helpen? Samen hadden we hen wel aangekund. Misschien had ik zelfs Simion erbij kunnen roepen. Maar in plaats daarvan bleef ik zitten, als een standbeeld. Logisch dat Iris denkt dat ik me schaam. En dat doe ik ook. Maar ik schaam me voor mezelf. Ik schaam me dat ik nooit tegen Jen in durf te gaan. Dat ik tegen Iris heb gelogen. Allemaal omdat ik niet wil vertellen over vroeger. Over die ene gymles, waar alles veranderde. Hoe mijn beste vriend mij in de steek liet.

Ik bekijk mijn rode ogen in de spiegel. Elke idioot kan zien dat ik net gehuild heb. Mijn gezicht ziet lijkbleek.

Ik hoor mijn klasgenoten de trap af denderen. Iedereen gaat naar beneden om zich buiten te verzamelen voor het groepsspel. Mijn mentor brult dat ze rustig moeten doen.

‘Ga jij maar vast,’ hoor ik Jen op de gang tegen Stijn

zeggen. Dan stapt ze mijn kamer binnen en doet de deur achter zich dicht. Ze kijkt me aan.

'Ik kwam je vriendin tegen. Die blinde.'

'Ze heet Iris.' Het is veel te laat om het voor haar op te nemen, maar ik kan haar niet zo laten noemen.

'Die ja.' Jen kijkt naar mijn rode ogen. Ze heeft er geen idee van dat ik alles heb gehoord. Dat mijn gympen boven haar hoofd zweefden. Eigenlijk zou ik haar nu alsnog een dreun moeten verkopen. Voor Iris. Een dreun op haar perfecte gezicht.

'Hoe kwam je eigenlijk aan die snee in je voorhoofd?' Ik zie Jens gezicht betrekken. Even zie ik een onzekere blik in haar ogen, die ik nooit eerder heb gezien.

'Ik ben aangereden.'

'Door wie?'

Ik zie dat ze het snapt. Dat ik haar doorheb.

'Door een hufter.' Jen draait zich om. 'Ga je mee naar beneden? We gaan een groepsspel doen.'

'Ik kom eraan.' Ik kan mijn stem nauwelijks beheersen. Zo kwaad ben ik op haar.

Ik draai me om en hoor Jen de deur achter zich dichttrekken. Ze rommelt nog wat, maar dan klinken haar voetstappen op de trap. Met een snel gebaar bind ik mijn haren in een staart en kijk voor een laatste keer in de spiegel. Die rode ogen gaan pas weg als ik buiten ben.

Met twee passen ben ik bij de deur, maar die geeft niet mee. Ik probeer het nog een keer, maar hij blijft dicht. Wat is er aan de hand? Ik kijk naar het sleutelgat, maar daar is niks vreemds aan te zien. Wacht eens? Waar is de sleutel? Ik kijk op mijn bureau, maar dat heeft natuurlijk geen zin. Mijn gedachten zijn er al. Het is tenslotte eerder gebeurd. Jen heeft de sleutel meegenomen. En ze heeft de deur op slot gedraaid.

Zeventien

We hadden bijna gym. De hele zaal was veranderd in een verstopparadijs. De leraar had van alles uit de kasten gehaald. Matten, korfbalpalen, en zelfs de springbok. Ik zag wel honderd plekken waar ik kon gaan zitten.

'Gaaf.' Stijn kwam naast me staan en keek naar het oerwoud aan verstopplaatsen. Zijn arm zat nog steeds in het gips door zijn val tijdens het skaten. Ik zag dat Jen er ook iets op geschreven had.

'De zoeker vindt ons nooit,' zei ik.

'Mij niet. Jou wel.' Stijn grijnste. Zijn bruine ogen fonkelden uitdagend.

'Wacht jij maar.'

Ik rende terug naar de kleedkamer om mijn flesje water te pakken. Toen ik de deur opendeed stonden alle meiden uit mijn klas bij elkaar. Sara fluisterde iets. Het leek net alsof ze een geheim deelden, want er viel meteen een stilte zodra ik binnenkwam.

'Wat is er?' vroeg ik dommig.

Sara's wangen werden rood, maar Jen lachte. 'Niks bijzonders.'

Ik hoorde de zoeker tellen. Hij was bijna klaar en ik grijnsde. In de kast in de kleedkamer van de gymleraar zou hij me nooit weten te vinden. De weddenschap met Stijn had ik nu al gewonnen.

'Hallo?' De stem van Jen.

'Je past er niet meer bij,' siste ik. 'Het is veel te krap.'

'Donna?'

'Ja.'

'Laat me er nou bij.'

'Het past niet.' Bovendien wilde ik voor geen goud in zo'n kleine ruimte zitten met Jen naast me. Het was mijn verstopplek.

'Dan niet.' Er klonk wat gerommel, maar toen werd het stil.

Jen was weg en had de deur van de kleedkamer achter zich dichtgetrokken.

De zoeker was klaar met tellen. 'Buut Jen!'

Als ik mijn oren goed spitste kon ik de zoeker horen. Hij vond iedereen. Alleen Sara en Stijn waren nog over. En ik natuurlijk. Ik probeerde mijn benen een beetje te bewegen, maar die sliepen allang. Het tintelende gevoel in mijn voeten was een minuut geleden al begonnen. Toch bleef ik zitten. Mijn trots dat ik de beste verstopplaats had gevonden was belangrijker dan de pijn in mijn benen.

'Buut Stijn!' hoorde ik ver weg. Ik kon ze nauwelijks horen.

Ik grijnsde breed en verschoof een beetje. Het was pikkedonker in de kast. Het enige licht kwam door de kier tussen de deuren. Het grote ding stond in de kleedkamer van de leraar, helemaal achter in de gymzaal. De zoeker zou me hier nooit vinden.

'Buut Sara!'

Ik had gewonnen. Nog even en ik ging naar buiten om iedereen vrij te buuten.

Het was doodstil in de gymzaal. Waarschijnlijk was iedereen aan het denken waar ik toch kon zitten. Dit zouden ze niet snel vergeten. Donna, onvindbaar. Misschien had ik Jen en Stijn niet eens meer nodig om me te beschermen. Zou ik ook eindelijk een envelop krijgen. De mooiste kleur van allemaal.

Ik begon het benauwd te krijgen. De kast stonk naar nat hout en schimmel. Ik voelde mijn benen steken. Hoe lang zat ik hier nou al? Ik drukte op het knopje van mijn horloge, dat meteen oplichtte. Ik kneep mijn ogen dicht tegen het felle lampje. Mijn horloge gaf drie uur aan. De les was al afgelopen.

Ik drukte tegen de kastdeur. Die gaf niet mee.

'Hallo?' Mijn stem klonk gedempt in de kleine kast. De deur zat op nog geen tien centimeter van mijn neus. Ik bonkte op het hout, maar er gebeurde niks. Ik duwde uit alle macht tegen de deur, maar het leek wel alsof hij geblokkeerd was.

Ik riep nog een keer, harder nu. Mijn ademhaling piepte. Het leek wel alsof ik geen lucht meer kreeg. Rustig blijven, dacht ik bij mezelf. De leraar kwam vast zo kijken waar ik bleef. Er moest toch iemand zijn die me miste.

'Help!' Ik brulde. Mijn stem voelde rauw aan. Het stof uit de kast prikte in mijn neus. Ik keek voor de zoveelste keer op mijn horloge. Het was bijna vier uur. De pijn in mijn benen was vreselijk. Opstaan ging niet, daar was de kast veel te klein voor. Ik kon enkel wachten.

'Stijn! Jen! Iemand?' Waar was de leraar? Die ruimde toch naderhand de spullen op? Ik had niemand weg horen gaan. Zat ik dan zo ver weg?

Er klopte iets niet. Stijn had het moeten merken. Had hij me expres laten zitten? Als flauw geintje? Nee, dit was geen geintje. De pijn in mijn benen werd nu echt ondraaglijk en ik had dorst.

Toen dacht ik aan Jen. Had zij de kast op slot gedaan? Omdat ze er niet bij mocht? Ineens gingen mijn gedachten heel snel. Ze hadden in een kring gestaan in de kleedkamer. Waren ze dit van plan geweest? De hele klas?

'Alsjeblieft, help me.' Ik schreeuwde zo hard dat mijn stem oversloeg. Ik moest hieruit, anders was er straks niemand meer in *de school. Het idee dat ik hier de hele nacht zou zitten... zonder eten, zonder drinken. Misschien werd ik wel helemaal nooit gevonden.*

Niet aan denken. Ik moest rustig blijven. Alleen de ruimte tussen mijn neus en de kast was zo klein dat het me niet lukte.

Ik begon te zweten en te trillen. Mijn voeten tintelden.

Ik schopte. Schreeuwde. Huilde. Sloeg.

'Is daar iemand?' Een verbaasde stem deed me wakker schrikken. Ik moest flauwgevallen zijn, want ik kon me niets meer herinneren. Waarschijnlijk was ik maar een paar seconden weggeweest, want iemand had mijn geschreeuw gehoord.

Er klonk gerommel en ik knipperde met mijn ogen.

'Help,' zei ik zachtjes.

Er werd iets weggeschoven en toen hoorde ik een sleutel omdraaien. De deur werd opengetrokken en ik keek in het gezicht van een onbekende vrouw. Ze had een vriendelijk gezicht en droeg een groen schort. De schoonmaakster? Mijn benen kon ik nauwelijks meer bewegen.

'Meisje toch!' De vrouw tilde me uit de kast, alsof ik een grote baby was. Het was intussen vijf uur. Ik kon niet meer stoppen met huilen.

Ik bons op de deur. 'Mám?'

Het hele huis is nog nooit zo stil geweest. Ik hoor altijd wel stemmen of gerammel met pannen. Als mijn ouders mee zijn met het spel moeten ze toch merken dat ik er niet bij ben?

Ik sla met mijn vuisten op de houten deur. Neem een aanloop en beuk er met mijn schouder tegenaan. Niks helpt. Hij geeft niet mee.

'Dit is anders dan toen,' zeg ik zachtjes, terwijl ik om me heen kijk. 'Ik zit gewoon in mijn kamer. Ze komen over een uurtje terug.'

Ik loop naar het raam en doe het open. Zelfs de frisse lucht of de aanblik van mijn boom maakt me niet rustig. Ik kijk naar beneden en schat de meters in. Als ik spring breek ik vast een arm.

Ik voel tranen opkomen. Waarom heeft Jen me opgesloten? Omdat ze niet wil dat ik het weet van dat zogenaamde auto-ongeluk? Ze weet niet hoe lang ik in die kast heb gezeten, huilend van de pijn en angst. Zij ging gewoon naar huis, samen met Sara. Samen lachend om die domme Donna.

Maar ik heb er altijd last van gehouden. In kleine ruimtes raak ik in paniek, ik durf niet meer tussen mijn klasgenoten te staan, bang voor wat ze me kunnen flikken.

De tranen komen. Dit keer laat ik me gaan. De muren van de kamer lijken op me af te komen. Mijn ademhaling gaat snel. Veel te snel. Straks moet ik hyperventileren. Of erger. Ik doe mijn ogen dicht, maar het helpt niet. De paniek zit in mijn hele lijf.

Waarom mist niemand me? Mijn ouders moeten toch doorhebben dat ik er niet bij zit? Misschien heeft Jen wel gezegd dat ik me niet lekker voelde. Zij is tenslotte de laatste die me heeft gezien. En niemand verwacht dat Jen erover liegt.

Mijn ouders hebben nooit geweten wat zich tijdens gym heeft afgespeeld. Ik hou al twee jaar mijn mond. De schoonmaakster heeft niet verder gevraagd. Dat een klasgenoot me had opgesloten was bij niemand opgekomen. De dag erna ben ik gewoon naar school gegaan. Stijn wilde nog naast me zitten, maar ik heb hem de hele dag genegeerd. Ik was compleet in de war.

Jen ben ik vanaf die tijd gaan ontwijken. Ze bestond niet meer voor mij. Tenminste, dat dacht ik. Want elke keer als ik haar zag werd ik bang. Ik zag hoe ze Stijn probeerde in te palmen. Maar wat kon ik doen? Ik wilde Stijn niet meer spreken. Hij had me laten zitten bij gym, was gewoon naar huis gefietst. Vanaf die dag was niemand meer te vertrouwen. Misschien heb ik daarom wel tegen Iris gelogen.

Door een waas van tranen loop ik opnieuw naar de deur. Alle angst van vroeger zit er nog. Hoe kon ik denken dat het over was? Dáárom word ik 's nachts zwetend wakker. Zelfs met de deur open lijkt mijn kamer net een stoffige schimmelkast.

En als ik het niet benauwd heb dan zie ik Jen en Stijn wel weer. Elke dag moet ik naar hen kijken, terwijl ze voor me zitten op school. En zelfs als ze zoenen zit ik op rij één. Of ik het nou wil of niet.

Ik sla met mijn vuist tegen de deur. Zo hard dat ik iets hoor kraken. Een weeïge pijn trekt door mijn lijf. Ik gil het uit. De tranen stromen over mijn wangen. Met mijn andere hand pak ik mijn vuist beet. Ik laat me op de grond zakken. Er is helemaal niets veranderd, hoeveel ik mijn best ook doe. Ik zal altijd het meisje blijven dat in de kast zit opgesloten, alleen. Het vreemde kind, dat niemand op zijn feestje wil hebben. Simion gaat weg en Iris is kwaad. En Stijn zal nooit meer de jongen zijn waar ik zo veel van hou.

'*Donna?*'

Simion? Er wordt aan de deur getrokken en ik hoor mijn naam nog een keer.

'Ik ben hier.' Mijn stem klinkt als die van een ander.

'*I'm coming.*' Ik hoor een doffe dreun en dan vliegt de deur open. Simion wrijft over zijn schouder.

Ik voel twee armen om me heen. Simions T-shirt wordt nat van mijn tranen en ik haal mijn neus op. Zijn lijf is zo warm dat het me langzaam rustig maakt. Zijn sterke armen drukken mijn trillende lichaam tegen zich aan.

'Who did this?' Simions stem klinkt kwaad. *'Was it Jen?'*
Ik knik.
'I'm going to kill her.' Ik hoor aan zijn stem dat hij het meent. Hij reageert zoals ik van Stijn had verwacht, twee jaar geleden. Ik glimlach, ondanks de pijn in mijn vingers.

Maar dit keer moet ik het zelf doen. Ik moet doen wat twee jaar geleden al had gemoeten. Wat ik net had moeten doen, toen ik boven in de boom zat. Voor Iris. Voor mezelf. Ik heb dit keer niemand nodig die het voor me opneemt. Dit gaat tussen mij en Jen.

Aan de andere kant van het grasveld zie ik haar staan. Haar blonde haren liggen over haar schouders en ze heeft Stijns hand vast. Mijn hart bonst nog steeds, maar ik kan weer normaal ademhalen.
'Donna, ben je toch gekomen?' De mentor klinkt verrast. Zie je wel, Jen heeft vast gezegd dat ik niet lekker was. Mijn moeder kijkt me verbaasd aan. Wacht maar, denk ik bij mezelf, je weet nog niks.
'Ik kom niet voor het spel.' Mijn stem galmt over het veld. Jen ziet er onzeker uit. Het doet me goed. 'Ik kom voor haar.'
'Wat is er?' Jen kijkt zenuwachtig van Stijn naar mij.
'Je weet best wat er is.' Ik probeer het rustig te zeggen, maar er schieten zoveel dingen door mijn hoofd. Allerlei zinnen die ik haar wil zeggen. Het is één grote brij.
'Donna, ik weet niet wat je bedoelt, maar...'
'Hou je bek.' Ik voel dat Simion achter me komt staan. Het voelt veilig. 'Hou gewoon voor één keer je klep.'
Jens wangen kleuren. Ze wordt nog veel roder dan toen in het winkelcentrum. Ik zie Stijn verbaasd kijken. Waarom doet hij zo schijnheilig? Hij weet toch precies waar dit om gaat?
'Je hebt me opgesloten.' Ik kijk haar aan.

Jen zwijgt. In gedachten ruik ik het beschimmelde hout. 'Je hebt me wéér opgesloten. Je hebt mijn beste vriend afgepakt. Je verpest mijn leven.'

Ik haal diep adem. Mijn moeder ziet er geschokt uit. Het voelt alsof mijn hoofd volstroomt met water. Mijn slapen bonken. Ik voel me duizelig en neem een grote hap lucht. Langzaamaan word ik rustiger. Het blijft doodstil op het veld. Ik kijk opnieuw naar Jen, die nog altijd zwijgt.

'En weet je? Dat heb ik je altijd laten doen, maar nu is het afgelopen.' Eindelijk is het geen fantasie boven in mijn boom meer. Dit is de échte Donna.

Jen herstelt zich en kijkt lachend om zich heen. 'Volgens mij is ze nog een beetje ziek.'

'*Trut.*' Simion komt naast me staan.

Jen kijkt hem verbaasd aan. 'Sorry?'

'*Triest geval.*'

Ik moet een glimlach onderdrukken. Simion heeft precies de juiste woorden onthouden.

'Ik weet niet waar ze het over heeft.' Jen kijkt naar Stijn, die een vreemde uitdrukking op zijn gezicht heeft, alsof hij hier helemaal niks van begrijpt.

'O nee?' Ik kom dichter bij haar staan. 'En Iris? Dat weet je zeker ook niet?'

Ik voel geen spoortje van angst meer. Jen is maar een meisje. Ze is niks meer dan ik.

'Hoe kan je haar nou pesten? Ze heeft helemaal niks verkeerd gedaan.'

Stijn fronst zijn wenkbrauwen. 'Waar gaat dit over?' Hij kijkt van mij naar Jen en weer terug. 'Donna?'

Ik bijt op mijn wang. Heeft hij nou echt geen idee hoe het voor mij was? Om in die kast te zitten, niet wetende wanneer je wordt gevonden? Voor hetzelfde geld had ik er de hele nacht gezeten! Hoe denkt hij dat ik me voelde toen ik besefte dat ik was ingeruild. Als een stuk speelgoed.

Ineens liep hij met Jen naar school. En dan die kus. Ik kan niet meer naar hem kijken.

'Jij weet precies waar dit over gaat, Stijn.'

Onze klasgenoten staan in een kring om ons heen. Niemand wil er iets van missen. Zelfs de mentor blijft stil.

'Jij bent me niet gaan zoeken twee jaar geleden. Je hebt me gewoon in die kast laten zitten.'

'Welke kast?' Stijn begint kwaad te worden. 'Waar heb je het over?'

'Over de kast waar zij me in heeft opgesloten. Over Iris, die jullie met z'n drietjes pesten. Weet je? Ik schaam me dat jij ooit mijn vriend bent geweest.'

Het is eruit. Het voelt alsof je na tien pannenkoeken eindelijk die éne boer kan laten.

Stijn gooit zijn armen in de lucht. 'Iris? Ik weet niet eens wie dat is!'

Ik hou mijn pijnlijke vuist vast. 'Jullie noemen haar blinde.'

'Jullie?'

'Jij en je vriendinnetjes.'

Jen en Sara zien allebei knalrood. Naast me staat Simion, die nog steeds kwaad naar Jen kijkt, klaar om aan te vallen als het nodig is. Maar ik kan alleen naar Stijn kijken, die er nog steeds niks van snapt. Heb ik het dan helemaal mis? Maar Iris zei het toch? *Ze zijn met z'n drieën.* Daar liegt ze toch niet over?

'Je bent herkend,' zeg ik.

'Door die Iris?' Stijn snuift. 'En je zegt net dat ze blind is.'

Jen pakt zijn arm. 'Laat haar toch, ze is gestoord.'

Stijn schudt haar hand weg. 'Laat me met rust. Jullie zijn allebei gek geworden. Ik ken geen Iris. Ik weet niks van een kast. Het enige wat ik weet is dat jij al twee jaar ontzettend raar doet.'

Stijn kijkt me aan. Voor het eerst sinds al die maanden zie ik zijn bruine ogen, die niets veranderd zijn. Hij kijkt nog net zoals op die oude foto, toen hij in zijn luier aan de rand van het badje stond.

'Stijn, wacht!' Mijn stem galmt door het bos. Ik word op de voet gevolgd door Jen en Simion.

'Rot op.' Stijn gooit de deur naar het restaurant open en stormt de trap op. Mijn gedachten vliegen door elkaar. Waarom is hij zo kwaad?

'Je roept van alles, maar ik pik het niet meer, Donna.' Stijn trekt zijn weekendtas van zijn bed en begint zijn kleding erin te proppen.

'Jíj pikt het niet meer?' Dit is de omgekeerde wereld. 'Jij liet mij gewoon in die kast zitten.'

Stijns gezicht is knalrood. Hij propt een spijkerbroek in zijn tas en kijkt me aan. Zijn lip trilt.

'Ik weet niet eens waar je het over hebt.'

Hoe kan hij dat vergeten zijn? Ze hebben het met de hele klas bedacht.

'Bij gym. In groep acht. Ik heb er uren gezeten.'

Ik zie aan Stijns gezicht dat er iets niet klopt. Langzaam vallen de stukjes op hun plek. Hij meent wat hij zegt. Hij weet niet waar ik het over heb. Hoe kan dat? Hij moet me toch gemist hebben na gym?

'Maar je was erbij,' zeg ik zachtjes. 'Ik heb je nog gevonden horen worden. Ik was nog zo trots dat ik van je had gewonnen...'

'Ik ben eerder weggegaan. Mijn gips mocht eraf.'

Ineens zie ik hem in gedachten weer op het plein staan, een dag later. Door mijn woede is het me nooit opgevallen. Zijn gips was weg.

'Maar je koos voor Jen.'

'Dat is iets heel anders.' Stijn ritst zijn tas dicht. 'Dit

gaat over jou. Altijd als ik naar je toe kwam reageerde je vreemd.'

Ik denk aan een paar weken geleden, toen hij naast me kwam lopen op de trap. Ik zei: *Je vriendinnetjes wachten.* Eigenlijk heb ik hem altijd weggestuurd. Al vanaf de dag na de gymles. Ik wilde niet meer naast hem zitten en liep altijd alleen naar school.

'En Iris dan?' Ik moet mezelf verdedigen. Ik wil niet horen dat ik het al die tijd mis heb gehad. Dat het mijn eigen schuld is dat Jen nu bij Stijn hoort.

'Ik ken geen Iris.' Stijn hijst zijn weekendtas op zijn rug.

'Maar jullie pesten haar.' Ik ga voor de deuropening staan en kijk naar Jen, die nog altijd knalrood is. 'Daardoor komt Jen aan die snee.'

'Jen is aangereden,' zegt Stijn. 'Mag ik er nu langs?'

'Jen is tegen de vlakte gemept,' zeg ik. Het kan me niks meer schelen dat ze naast me staat. 'Omdat ze al maanden een blind meisje pest. Met jou.'

'Maar ik was bij jou,' roept Stijn uit. 'Ik was bij jou toen Jen met die snee op school kwam. We hebben die opdracht nog samen gemaakt.'

Jennen. Sarren. Stijn heeft gelijk. Hij was er niet bij. Net als net, onderaan de boom. Toen waren Jen en Sara ook met z'n tweeën. Kan het zijn dat Iris het verkeerd ingeschat heeft? Dat Stijn er nooit bij is geweest? Tenminste, niet wanneer ze haar lastigvielen.

Net als dat hij ook niks met de gymles te maken had. Waarschijnlijk had hij het anders voor me opgenomen. Zoals hij altijd gedaan heeft. Stijn de held.

'Heeft Donna gelijk?' Stijn kijkt nu naar Jen, die nerveus met haar handen door haar haren strijkt. 'Heb je haar opgesloten toen?'

'Ja.' Eindelijk is ze eerlijk.

Stijn schudt ongelovig zijn hoofd. 'Waarom?'

‘Denk je dat het makkelijk is voor mij?’ Jen begint ineens te huilen. Ik ken haar haast niet meer terug. Ze lijkt helemaal niet meer op het meisje waar ik zo bang voor was.

‘Jullie waren altijd samen! Elke keer als je haar ziet dan ben je minuten stil. Op het schoolplein wilde je het zelfs voor haar opnemen. Als we zoenen en zij komt langs wil je ineens niets meer van me weten. Je hebt het altijd over Donna. Zelfs nu nog. Ik word er gek van. En dan schrijf je ook nog eens doodleuk haar naam op je blaadje.’

Ik kijk even naar mijn oude vriend. Het was dus niet uit medelijden.

Stijn draait zich weg van Jen, die hem smekend aankijkt.

‘Jullie zijn allebei gestoord.’ Hij wurmt zich langs me heen en loopt de trap af. Beneden hoor ik de voordeur dichtslaan.

Slot

'Weet je zeker dat je weg wil?' Mijn moeder kijkt naar Simion, die met zijn grote koffer bij de buitendeur staat. Samen met hem heb ik al zijn spullen bij elkaar gezocht. Dat ging maar net met één hand. De ander zit in het gips. Ik heb twee vingers gebroken toen ik met mijn vuist op de deur sloeg.

'Wat ons betreft mag je blijven.'

Ik kijk dankbaar naar mijn moeder. Eindelijk heeft ze het idiote idee laten varen dat Simion en ik iets krijgen.

'*Yes. But thank you for everything.*' Simion geeft mijn moeder twee zoenen. Ze moet ervan blozen en loopt snel met mijn vader terug naar het restaurant.

Gisteravond kwam Simion voor de laatste keer mijn kamer binnen. Speciaal voor mijn prikbord had hij een foto van zichzelf laten maken. Het is tijd voor wat nieuwe herinneringen.

'*Donna.*'

Ik voel een brok in mijn keel. Zal ik hem ooit nog zien? Desnoods moet ik naar Hongarije, denk ik bij mezelf. Misschien krijg ik mijn ouders deze zomer wel zo ver.

'*You are very special.*'

Ik voel dat ik even rood word als mijn moeder. 'Jij ook.'

Dan doet Simion een stap naar voren en slaat zijn armen om me heen. Tilt me zelfs even op. Mijn voeten zweven boven de grond. Ik moet denken aan het watergevecht, de kreeften in de groothandel en onze gesprekken in de keuken.

'Schrijf je me?' vraag ik, terwijl hij me weer op de grond zet. Dat wordt nog wat. Brieven in het Hongaars.

Aan Simions gezicht te zien heeft hij me begrepen. Zijn lach galmt door onze keuken.

'Donna, kun je even komen helpen?' Mijn moeder staat in de deuropening van mijn kamer.

Ik heb er helemaal geen zin in. Simion is net weg en ik zit met de oude klassenfoto in mijn handen op bed. Ik probeer me te herinneren wat er allemaal is gezegd door Stijn, maar het was teveel. Al twee dagen herhaal ik de feiten in mijn hoofd. Stijn heeft nooit van iets geweten. Het enige wat hij verkeerd heeft gedaan is verliefd worden op Jen. Maar hij wist tenslotte niks van de kast, of van Iris. Jen heeft hem daar heel bewust buiten gehouden. Ze weet ook wel dat Stijn het altijd opneemt voor de zwakkere. Dat deed hij vroeger al.

'Er zijn veel klanten. Kom op.'

Met een vermoeide zucht sta ik op. Vreemd hoe het leven hier gewoon doorgaat, ook zonder Simion.

Als we beneden zijn zie ik één iemand in het restaurant zitten.

'Veel klanten?'

'Deze wil iets speciaals.' Mijn moeder doet de deur naar het restaurant open. Helemaal achterin, vlakbij het raam zit een jongen. Ik herken zijn achterhoofd meteen. De plek waar zijn haar altijd zal doen wat het zelf wil. Al smeer je er een hele pot gel in.

Er komen een aantal fietsers aangereden, die stoppen bij het restaurant. Het is druk op vrijdagavond. Mijn ouders gaan Simion nog missen, denk ik bij mezelf. En anders ik wel. Tegen wie kan ik nu mijn geheimen vertellen?

Ik pak met mijn handen de eerste knoest beet en trek mezelf naar boven. Ik heb lang niet in mijn boom gezeten. Met mijn hand in het gips is het klimmen ook een stuk lastiger. Ik voel een stekende pijn in mijn vingers als ik bij mijn tak kom. Hijgend laat ik me tegen de stam vallen. Wat een dag. Ik heb uren met Stijn gepraat. De smaak van de pannenkoek appel en kaneel zit nog tussen mijn kiezen.

'Ben je daar eindelijk?'

Ik val van schrik bijna van de stam, maar kan me nog net op tijd vastgrijpen aan een zijtak. Wie zegt dat? De stem komt van boven. Als ik omhoog kijk zie ik tussen de bladeren Iris zitten. Ze is helemaal tot bovenin geklommen. Ze zit wel een paar meter hoger dan ik. Hoe komt ze daar? Straks valt ze nog!

'Iris?'

'Waar bleef je?'

Mijn hart maakt een sprongetje. Ik had niet verwacht dat ze ooit nog langs zou komen. En bij haar langsgaan durfde ik niet meer, uit angst voor nog een woedeaanval.

'Wat doe je daar?' Ik knijp mijn ogen dicht tegen de felle zon, die door de bladeren schijnt.

'Ik wilde nadenken.' Iris' zonnebril ligt nog altijd gebroken tussen de bladeren, beneden aan de stam. Haar groene ogen schieten heen en weer.

Het blijft even stil. We luisteren allebei naar de geluiden uit het restaurant. Die zijn een stuk minder hard zonder Simion. Hij zal nu wel in het vliegtuig zitten, terug naar Hongarije.

'Iris?'

'Ja.'

'Ik heb me nooit voor je geschaamd.'

'Dat weet ik.'

'Jen pestte mij ook.'

Nu ik het zo zeg is het helemaal niet eng. Sterker nog, het voelt heerlijk om eindelijk eerlijk te kunnen zijn.

'En die jongen?'

‘Die wist van niks,’ zeg ik stellig.

‘Ken je hem?’ Iris gaat een beetje verzitten.

Ik denk aan de foto waar Stijn in zijn luier opstaat. Ik denk aan zijn achterhoofd. En aan zijn ogen, waar ik eindelijk weer in durfde te kijken. De lichte kriebel die ik in mijn buik voelde toen ik hem zag zitten in ons restaurant. En die bleef aanhouden, tot hij uiteindelijk naar huis moest. Ik heb hem nog lang niet alles kunnen zeggen, maar hij beloofde morgen terug te komen. Vanaf nu wordt alles anders.

‘Die jongen heet Stijn,’ zeg ik. ‘Hij is mijn beste vriend.’

Het blijft opnieuw stil.

‘Weet je moeder eigenlijk wel dat je hier bent?’ Ik denk aan Iris’ belofte in de pizzeria. Ze zou nooit meer in een boom klimmen.

‘Moet dat?’

‘Je mag helemaal niet meer klimmen,’ zeg ik. ‘Zeker niet zonder mij.’

‘Je bent er nu toch.’

‘Ik zit niet zo hoog als jij.’ Ik kijk naar Iris. Hoe is ze helemaal bovenin gekomen?

‘Dan kom je hier,’ zegt Iris. ‘Kan je me misschien eindelijk uitleggen waarom je zo stom hebt gedaan.’ Aan haar stem kan ik horen dat ze niet langer boos is.

Ik kijk omhoog. Hoe doe ik dat met één hand?

Iris voelt mijn twijfel. ‘Ik help je wel.’

De diepte onder me is al duizelingwekkend. En dan moet ik nu nóg hoger?

Maar dan denk ik aan Simion, die me met gemak van de grond tilde. Stijn, die me een kus op mijn wang gaf, voordat hij wegfietste. En ik kijk naar Iris, met de mooiste groene ogen die ik ooit heb gezien. Ik voel dat ze me aankijkt. Ze is blind, maar ziet alles.

‘Nou?’ Iris steekt haar hand uit. ‘Vertrouw je me?’
Ik glimlach. ‘Met mijn ogen dicht.’

Maren Stoffels over Met mijn ogen dicht

Vroeger als ik naar drumles fietste kwam ik altijd langs de plek waar ze blindengeleidehonden trainen. Elke keer als ik dat zag, dacht ik; daar moet ik iets over schrijven.

Voor de rol van Iris ben ik gaan praten op een blindenschool in Amsterdam, waar ik een heel bijzonder meisje heb ontmoet. Sibel is al heel lang blind en ziet alleen licht en donker. We hebben heel lang gepraat over van alles en nog wat. Zo vertelde ze mij dat ze mensen altijd herkent aan hun geur of hun manier van lopen. Op dat moment kwam er een docent binnen en ze riep meteen de juiste naam. Ik wist niet wat ik zag.

Ook vertelde ze mij dat er een voordeel is aan blind zijn. Je kan altijd lezen, want je hoeft er geen lampje voor aan te doen. Zo kunnen je ouders je niet betrappen als je om twaalf uur nog met een boek in bed ligt. :-)

Ook vroeg ik haar hoe Iris in het boek moest zijn. Daar was ze heel duidelijk in: niet zielig. En daar heb ik me aan gehouden. Eerlijk gezegd vind ik Iris de sterkste persoon uit het boek (en ze ziet echt álles...).

Liefs,
Maren

P.S. Bedankt voor het kopen van dit boek! Een deel van de opbrengst gaat naar Koninklijke Visio, een organisatie die zich inzet voor slechtzienden en blinden zoals Iris.

Ken je eerdere boek

Maren Stoffels schreef haar debuut *Dreadlocks & Lippenstift* toen ze vijftien jaar was. Al snel volgden *Piercings & Parels* en *Cocktails & Ketchup*. Daarna schreef ze twee boeken met andere hoofdpersonen: *Sproetenliefde* en *Op blote voeten*.

Maren al?

Sproetenliefde
Maren Stoffels
Leopold

Op blote voeten
Maren Stoffels
Leopold

LEES OOK VAN MAREN STOFFELS

Elin · Tara · Britt
Drie meiden op BACKPACK
Alle drie hebben ze een geheim. Samen met Lucas en Ivo treinen en liften ze door Europa en beleven spannende avonturen. Maar waarom is Elin gevlucht? Wat maakt Tara zo boos? Welk geheim verbergt Britt? Een ding is zeker: het wordt een broeierige zomer!

DOOR MAREN STOFFELS EN HANS KUYPER

Je weet het misschien nog niet, maar je bent van mij!

Moira heeft geen flauw idee van wie ze brieven krijgt, die eerst nog vlinderlicht en verliefd klinken, maar steeds beklemmender van toon worden. Ze hoopt dat ze van Nino komen. Maar schrijft hij zo mooi? En was hij in haar slaapkamer?

Moira heeft het gevoel dat er een web om haar heen wordt geweven. Dan komt haar nieuwe buurjongen met een onverwachte aanwijzing die haar hele leven op z'n kop zet.